외국인을 위한
Intermediate-High Intermediate Reading Topiscs
한/국/어/읽/기

EXPLORING KOREAN

Compiled by
The Institute of Continuing Education
of Kyung Hee University

MINJUNG SEORIM

- **Suk-Ja Lee**
  Professor of the College of Foreign Language & Literature at Kyung Hee University
  Director of the Institute of Continuing Education (ICE) at Kyung Hee University
  Ph.D., from Aoyama University

- **Hyeran Lee**
  Director of the Foreign Language Division of ICE
  Head Professor of the English Program of ICE
  Ph.D., University of Florida

- **Kyung-Ah Sul**
  Head Professor of the Korean Language Program
  Assistant Professor of the Defense Language Institute
  Counsellor in charge of Students from English Speaking Countries

- **Mi-Sun Park**
  Instructor of the Korean Language Program
  Counsellor in charge of Students from Russia and Africa

- **Dae-Sung Lee**
  Instructor of the Korean Language Program
  M.A., University of North Carolina
  Counsellor in charge of Students from Europe and Australia

- **Hwal-Ran Kim**
  Instructor of the Korean Language Program
  Counsellor in charge of Students from Japan and China

- **Eun-Young Kim**
  Instructor of the Korean Language Program
  Counsellor in charge of Students from East Asian Countries

EXPLORING KOREAN

Copyright © 2000

by Institute of Continuing Education of Kyung Hee University

Published by MINJUNG SEORIM

526-3 Munbal-ri, Gyoha-eup, Paju-si,
Gyeonggi-do 413-756, KOREA
Phone: (031) 955-6500~6 Fax: (031) 955-6525~6

Price: 13,000 Won

ISBN: 978-89-387-0004-9 13710

Printed in Korea

Exploring Korean

When the foreign students study Korean, there are many obstacles. The lack of textbooks which fit one's level is one of the biggest difficulties. Easy materials designed for children arc not appropriate for adult learners, because the topics do not fit their needs. The practical materials from magazines and newspapers are good in terms of topics, but they are too difficult to read. The type of reading text is another problem; most reading materials lean on one side, either literature or descriptive writing on everyday life. This reading textbook is written to overcome such weaknesses and provide useful materials in terms of language proficiency, topics and writing styles.

This textbook is designed to help foreign students enhance their reading skills. This book handles appropriate topics for the adult students who hold a variety of interests in Korean society. The level of reading materials is challenging but not too difficult. This book also includes various topics covering all areas such as culture, arts, politics, economy, education, science, environment, internet, North-South problems, literature, and Korean tradition. Students will be able to acquire a variety of current words and expressions. They can also obtain knowledge on culture, social norms, and traditions of Korea which is one of the main purposes of learning a foreign language. The focus is not only placed on Korean society but also on global interests and trends. In addition, the new Romanization system announced on July 4, 2000 was followed when it is necessary.

Many specialists in foreign languages as well as in the Korean language have participated in writing this reading book. All have taken every effort to approach Korean from a foreign speaker's perspective. Many people have contributed to this book by drawing, editing, proofreading and coming up with creative ideas. Valuable comments also came from the foreign students who were enrolled in the Korean Language Program at the Kyung Hee University Suwon campus. We hope the result will be a great help to foreign students who wrestle with the Korean language day and night.

This reading textbook is designed for the intermediate and high intermediate foreign students who want to enhance their Korean reading skills. Articles are derived from newspapers, magazines, internet and other materials. A variety of articles from diverse areas aims to satisfy students' interests and needs. As words and expressions are the key to students' improvement of their language skills, this book attempts to expose the students to diverse words in order to offer them a challenge. The overall organization of the book and ways of using it are as follows.

This book is organized in six parts. Part 1 is on Korean society, culture, and arts in which ways of behaving and thinking, traditions, musical instruments, and so on are introduced. In Part 2, health and gender are addressed. Articles about lung cancer, stress, and heart disease are presented. Modern dating rituals, working couples, and diet are also in this part. In Part 3, Korean culture is expanded in more detail and compared with world culture. Ways of living, buildings, food and alcohol and funerals are the topics of this section. Diverse ways of living in the world are shown, not confined to Korea. Part 4 may be difficult to foreign students, because politics, economy, and education are handled. However, it is necessary for the students to obtain knowledge and vocabulary from this area, because everyday life cannot be isolated from these things. The goal to obtain fluency good enough to read newspapers can be achieved by reading these kinds of materials. Part 5 includes current issues of environment, internet, genetic studies, and space travel. Finally, Part 6 deals with the North-South problem which is a situation unique to Korea.

Words and expressions are translated into English and Japanese in each chapter. To check readers' comprehension, questions are provided after a reading text. Pictures also appear throughout the book. Korean proverbs and four letter idiomatic expressions in Chinese characters are included as well. Students and teachers can use this book from the beginning to the end in order, or pick out a few interesting articles from each part. This book can be used not only in reading class but also in discussion class. After finishing this book students can move to higher level reading materials.

Table of Contents

제1부 / Part I

사회와 문화, 그리고 예술
Society, Culture and Arts

제3부 / Part 3

세계 문화 속의 한국 문화
The Korean Culture within the World Culture

문학, 그리고 남북 분단의 현실
Literature and North-South Problems

제6부 / Part 6

1

사회와
문화, 그리고 예술
Society, Culture and Arts

1 한국 사람들의 인간 관계
Human Relations in Korean

서구 사회가 개인 중심주의라면 한국의 사회는 가족 중심주의 혹은 단체 중심주의라 할 수 있다. 개인의 사생활을 우선시하기보다는 가족이나 단체 속에서 개인적인 생활을 어느 정도 공유하는 것을 가치 있게 여긴다.

한국 사람들에게는 개인적인 질문을 하는 것이 자연스럽다. 어디에 가는지, 몇 살인지, 혹은 결혼했는지 안했는지 등 사적인 질문을 자주 한다. 또한 회사에서는 이력서에 나이, 결혼 여부, 가족 상황을 요구하는 경우가 많다.

사용하는 어휘도 '나의(내) 집, 나의 나라, 나의 남편'보다는 '우리 집, 우리 나라, 우리집 양반' 등이 많이 쓰인다. 따라서 회사나 자기가 속한 단체에서 저녁 식사나 파티가 있을 경우 개인적인 사유로 빠지는 것을 매우 부정적으로 생각한다. 또한 파티 장소에 끝까지 남아 있는 것을 긍정적으로 받아 들인다.

뿐만 아니라 식사를 하러 여러 사람이 식당에 갈 경우에도 한 사람이 다른 사람의 식사비를 같이 계산하는 것이 일반적이다. 다음 식사 때는 또 다른 사람이 다른 사람들의 식사비까지 모두 계산하므로 대부분 균등한 부담이 간다. 그러나 젊은 세대들 사이에서는 이런 단체 중심의 문화가 약화되고 개인주의적인 행동 방식을 택하는 경우가 늘어나고 있다.

다음으로 한국인의 인간 관계는 정에 의해 형성된다. 사적인 친구 관계는 물론이고 공적인 관계도 정에 의해 형성될 때 더욱 부드러워진다. 정을 표현하는 한 방법으로 다른 사람의 집을 방문할 때는 선물을 준비하는 것이 일반적인 예의이다. 꽃 종류나 가정에서 쓰는 세

▲ 가족 중심주의

▲ 방문 예절

제류 등의 소모품 혹은 음식을 준비해서 방문한다. 이사간 집을 처음으로 방문할 때 역시 마찬가지이다.

한국인은 또한 자신의 의견보다 다른 사람의 생각과 느낌을 매우 중요하게 여긴다. 예를 들어 방문한 손님에게 "과일 좀 드시겠어요?"라고 주인이 물을 경우, 손님은 과일이 먹고 싶더라도 일단 "괜찮습니다. 힘들이지 마세요."라고 대답하는 것이 일반적이다. 그러나 그렇게 대답한다고 해서 과일이나 음료수를 대접하지 않으면 더욱 실례가 된다. 사양하더라도 일단 대접을 하는 것이 예의이다. 이처럼 사양하고 강권하는 인간 관계를 한국인의 끈끈한 정이라고 표현할 수 있다.

▶ 질문

1. 한국 사회는 서구 사회와 어떤 점에서 비교되는가?
2. 한국 사회가 가족 혹은 단체 중심적이라는 예를 들어 봅시다.
3. 방문한 손님을 대접할 때 일반적으로 손님은 왜 음식이나 음료수를 사양할까요?
4. 사양하고 강권하는 형태의 일화가 있었다면 이야기해 봅시다.
5. 여러분의 나라는 개인주의적인 것에 치우쳐 있습니까, 아니면 단체주의적인 것에 치우쳐 있습니까? 회사의 분위기나 식사 및 방문할 때의 예절 등을 한국의 사회와 비교하여 예를 들어 봅시다.

▶ 단어 정리

· 서구 사회 western society 欧米社会
· 공유하다 to share 共有する
· ~에 속하다 to belong to ~に属する
· 균등한 equal 等しい
· 형성되다 to be formed 形成される
· 소모품 articles of everyday consumption 消耗品
· 강권하다 to force 無理強いにする

· 사적인 private 私的な
· 사유 reason 言い分
· 약화되다 to weaken 弱くなりつつある
· 공적인 public 公的な
· 사양하다 to decline (with thanks) 気兼ねする
· 끈끈한 sticky しつこい

2 나이와 호칭의 의미
Age and Addressing People

나이는 한국 사회에서 중요한 부분을 차지한다. 물론 회사나 조직에서는 나이보다 능력과 경험을 중시한다. 그러나 직업과 관련이 없는 조직이나 모임에서는 나이가 절대적으로 중요하다.

이해 관계가 없는 모임에서는 나이가 든 사람이 회장이 되는 경우가 많다. 가족 관계에서는 나이 많은 어른의 말을 일단 따라야 한다. 그래서 한국어에 존칭어와 존대법이 매우 발달되어 있는 것은 당연해 보인다. 외국인의 경우 상황에 맞는 한국어를 유창하게 하려면 존대법을 바로 사용할 수 있어야 한다.

중·고등학생이나 대학생들 역시 나이에 따른 선후배 관계가 인간 관계를 형성하는 기본이 된다. 일 년이라도 선배이면 후배에게 심부름을 시키는 등 가벼운 요구를 할 수 있다. 한편 이런 선후배 관계가 설정되면 선배는 후배를 아끼며 보살펴 준다.

나이와 더불어 그 사람의 사회적인 위치 역시 중시된다. 사회적인 위치가 상대적으로 높은 경우 존칭어를 써야 한다. 또한 서구 사회가 사회적인 위치에 관계없이 친근한 경우 그 사람의 이름을 부르는 것과 달리 한국 사회에서는 이름 대신 직위를 부른다. 예를 들어 성 뒤에 직위를 붙여 '박 대리님', '김 과장님' 등으로 부른다. 더 높은 직위의 경우 성을 붙이는 것도 실례가 된다. 예를 들어 '이 사장님'이라기보다는 '사장님'이라고 부른다. 이러한 관계는 물론 상대적이어서 회사의 회장이라면 사장을 '이 사장'이라고 부를 수

▲ 사회적 위치

있다. 따라서, 나이와 사회적 직위는 한국 사회에서 인간관계를 형성할 때 큰 영향을 미친다.

▶ 질문

1. 윗글의 중심 내용을 논의해 봅시다.
2. 한국어에 존대법이 발달한 이유를 말해 봅시다.
3. 한국에서 여성을 부르는 다양한 방법들에 대해 말해 보시오. 또한 왜 그러할까 토의해 봅시다.
4. 다양한 직위를 예를 들어 봅시다.
5. 여러분의 나라에서는 가정에서나 사회에서 어떻게 이름을 부르는지 서로 말해 보시오. 어떤 특별한 점이 있으면 소개해 봅시다.

▶ 단어 정리

- 조직   organization 組織
- 절대적으로   absolutely 絶対的に
- 존칭어   honorific words 尊敬語
- 존대법   rule of honorific elements 尊敬を表わす丁寧な言い方
- 발달하다   to develop 発達する
- 상황   situation 状況
- 유창하다   to be fluent 流暢だ

- 심부름   errand お使い
- ~을 시키다   to have someone do something ~をさせる
- 요구   request 要求
- 친근한   intimate 親しい間柄
- 어쨌든   anyhow, anyway どちらにしても
- 영향   effect 影響
- 미치다   to influence 及ぼす

3 의식주 생활
Food, Clothing and Shelter

▲ 한복

한나라의 생활 양식은 의·식·주라는 세 가지 분야로 나눌 수 있다. 그러면 앞에서 언급한 정신 문화에 이어 한국인의 **의생활, 식생활, 주거 생활**을 살펴보기로 하자.

회사에 다닐 때 입는 의복은 주로 양복으로, 남성은 양복에 넥타이를 매고 여성은 양장을 한다. 근로자일 때는 편한 종류의 회사 유니폼을 입는다. 명절 때는 한복을 입기도 한다. 한 가지 특이한 것은 가까운 이웃집을 방문하거나 시장이나 백화점을 갈 때도 대부분의 한국인은 매우 단정히 차려 입는다. 집 밖에 나갈 때는 언제나 의복에 신경을 쓴다.

식사를 할 경우 반찬은 개인 접시에 하지 않고 여러 사람이 같이 먹는다. 밥 공기는 개인별로 따로 있다. 식사 예절을 살펴보면 우선 어른보다 수저를 먼저 들지 않는 것이 예의이다. 가족 안에서는 나이 많은 분이 먼저 식사를 시작하면 다른 구성원이 따라서 시작하고, 회사에서는 직위가 높은 사람이 먼저 시작해야 다른 사람들이 식사를 할 수 있다.

먹을 때 조용히 먹는 것이 예의이나 약간의 소리를 내는 것은 음식을 맛있게 먹는 것으로서 용납되는 편이다. 이야기를 조용히 하는 것도 허용된다.

▲ 전통 상차림

수저는 너무 짧게 잡아도 안 되고 알맞은 길이로 잡아야 한다. 젓가락은 두 개가 평행이 되게 잡아서 검지를 움직여 음식을 집는다. 또한 수저를 하나씩 들고 먹어야 한다. 두 개 다 들고 먹는 것은 예의가 아니다.

또한 식사 중에 코를 소리내어 푸는 것과 트림하는 것은 예의에 어긋나는 것으로 여긴다. 식사 후 후식은 단 음식보다는 과

▲ 한옥

일과 커피 혹은 차가 나오는 것이 일반적이다.

주거 생활에서 방은 온돌방이며 요즈음은 보일러관이 바닥에 깔려 있어 집 전체를 덥힌다. 집에 들어갈 때는 신발을 벗고 들어가며 집 안에서는 양말을 신은 상태로 지낸다. 과거에는 주로 의자 대신 방석과 요를 사용하는 좌식 생활이었으나, 현재는 대부분 입식 생활로 바뀌고 있다. 그러나 나이 드신 분이 있는 집에서는 그 방은 요를 쓴다든가 하여 한 집 안에 좌식과 입식이 섞여져 있는 것이 일반적이다. 도시에는 아파트, 빌라, 다세대주택 등이 있으며 시골에는 주택이 일반적이다.

▶ 질문

1. 한국에서는 이웃집이나 혹은 학교에 갈 때 어떤 차림으로 가는 것이 좋은지에 대해 이야기해 봅시다.
2. 한국의 식사 예절은 어떤지 이야기해 봅시다.
3. 한국인의 집을 방문한 적이 있으면 그 경험에 대해 이야기해 봅시다.
4. '덥히다'의 '히'는 동사를 사역동사로 바꾸는 역할을 합니다. '히' 외에 동사를 사역동사로 바꾸는 요소를 말하고 예를 들어 봅시다.
5. 여러분의 의식주 생활과 한국의 의식주 생활이 어떻게 다른가 비교해 봅시다.

▶ 단어 정리

· 언급한 mentioned 言及した
· ~을 살펴보기로 하자 let's take a look at
　　~を注意して見よう
· 이웃집 a neighbor 隣の家
· 구분 differentiation 区分
· 용납되다 to be acceptable 受け入れられる
· 허용되다 to be permitted ゆるされる
· 수저 spoon and chopstics 匙と箸;スプーンと箸
· 평행 parallel 平行
· 검지 index finger 人指し指
· 씹다 to chew 噛む

· 예의에 어긋나다 to be against the etiquette
　　boiler 礼儀にはずれる
· 보일러관 pipe ボイラー管
· 깔리다 to be covered, to be sat on 敷かれる
· 덥히다 to make it warm 暖める
· 좌식 생활 custom of sitting on floors
　　座式生活
· 입식 생활 custom of sitting on chairs
　　立式生活
· 섞여지다 to be mixed 混じる

1 가정 의례
Family Celebrations

사람이 태어나서 죽을 때까지 삶을 통해 치러야 할 과정을 '의례'라고 한다. 이 의례는 일정한 격식을 갖추고 가족 중심으로 이루어진다는 뜻에서 흔히 '가정 의례'라고도 한다.

▲ 돌

'백일'은 사람이 태어나서 처음으로 맞이하는 의례라고 할 수 있다. 아기가 태어난 지 100일이 되는 날을 축하하는 백일은, 영아의 사망률이 높았던 과거에는 아기가 100일까지 무사히 자란 것을 감사히 여기는 의미가 담겨져 있다.

백일과 더불어 '돌' 역시 아기의 무병장수를 기원하는 의례이다. 아기가 태어난 지 만 1년이 되는 날 치르는 돌은 백일과는 달리 돌잡이를 한다. 돌잡이란 둥근 돌상 위에 여러 가지 물건을 올려놓은 뒤 아기가 원하는 물건을 잡게 하는 것이다. 이는 아기의 장래를 예측하는 행사로서, 쌀이나 돈을 잡으면 부자가 되고 실타래를 잡으면 수명이 길다고 여긴다. 특히 여자아이의 경우에는 바느질 솜씨가 좋아지라는 의미로 자나 가위, 자수실 등을 상에 올려놓는다.

▲ 회갑

백일과 돌이 자녀를 위한 잔치라면, '회갑'은 부모를 위해 자녀들이 준비하는 의식이다. 회갑이란 사람이 태어나서 만 60년이 되는 해를 뜻하는 것으로서, 사람의 수명이 짧았던 예전에는 회갑을 맞는다는 것은 큰 복이었다. 따라서 회갑을 맞는 사람의 자녀들은 부모의 장수를 축하하기 위하여 일가 친척은 물론 부모의 친구들을 초

대하여 술과 음식을 대접한다.

　이러한 가정 의례는 고대로부터 수천 년에 걸쳐 이어 내려
온 민속 문화이다. 따라서 개인뿐만 아니라 그 사회의 질서를
유지하는 데에 또 하나의 중요한 기능으로 작용한다.

▶ 질문

1. 백일과 돌은 아기의 무병장수를 기원하는 의미에서 행하는 의례입니다. 그런데 돌
   날에는 백일과 달리 특별한 행사를 합니다. 아기의 장래를 미리 예견하는 이 행사
   를 무엇이라고 합니까?
2. 여자아이를 위한 돌잡이는 어떻습니까? 설명해 봅시다.
3. 사람이 태어나서 만 60세가 되면 회갑 잔치를 합니다. 그런데 이 회갑은 지금보
   다 옛날에 더 중요한 의미가 있었습니다. 그 이유를 쓰시오.
4. '일반 사람들의 풍속이나 문화'의 뜻을 가진 단어는 무엇입니까?
5. 여러분들의 나라에는 어떤 의례들이 있습니까? 한 가지씩 발표해 봅시다.

▶ 단어 정리

· 삶　life　人生
· 치르다　to perform　やりのける
· 의례　ceremonies, events　行事
· 격식　formal routine　格式, 樣式
· 가정 의례　family events　家庭の行事
· 백일　the 100th day after a baby's birth
　　　　百日(赤ちゃんが生れて百日になる日)
· 맞이하다　to encounter　迎える
· 영아　infant　赤ちゃん
· 사망률　death rate　死亡率
· 무사히　without any problems　無事に
· 돌　the 1st birthday　初めての誕生日
· 무병장수　longevity　病気にかからないで長生きすること

· 장래　future　将来
· 예측　prediction　予測, 予想
· 실타래　spool of yarn　巻かれる前の系
· 바느질　sewing　裁縫
· 잔치　feast, party　宴会
· 회갑　the 60th birthday　還暦
· 초대　invitation　招待
· 대접　treat　もてなし
· 고대　ancient days　古代
· 민속　folk customs　民俗
· 기능　function　機能
· 작용　a function, an effect　作用

2 결혼 풍습
Wedding Ceremony

결혼이란 적절한 연령에 도달한 젊은 두 남녀가 만나 한 가정을 이루는 것이다. 뿐만 아니라 위로는 조상에게 제사를 지내고, 아래로는 자손을 후대에 존속

▲ 전통 혼례

시키고자 함이 결혼의 의의라 할 수 있다.

한국의 전통 혼례는 우선 혼담이 오가는 것에서 시작한다. 이후 본인들과 양쪽 집안의 합의가 이루어지면 신랑집에서 신랑의 사주(생년, 월, 일, 시)를 신부집에 보내어 공식적인 청혼을 한다. 신랑의 사주를 받은 신부집에서는 혼인날을 택하여 보내는데, 혼인날을 받은 신랑집에서는 이에 따라 신부집에 예물을 보낸다.

혼례 당일에 신랑은 신부집으로 간다. 신랑은 전안청에 나무로 만든 기러기를 놓고 절을 한다. 기러기는 새끼를 많이 낳고 짝을 잃었을 때에도 배우자를 다시 구하지 않는 속성을 상징한다. 절을 한 신랑은 다시 초례청으로 안내되어 혼례식을 치르는데, 대례상 앞에 마주한 신랑과 신부는 몸과 마음을 정갈히 하는 의미에서 맑은 물에 손을 씻는다. 이후 서로 맞절을 하고 술을 한 모금씩 세 번 나누어 마신다. 이는 술을 교환하면서 하나가 되었다는 부부 결합을 의미한다.

혼례식이 끝나면 신부는 시댁으로 들어가게 되는데, 이때 신부가 시부모님과 시댁의 여러 친족에게 처음으로 인사를 드리는 폐백을 드림으로써 혼례의 절차는 끝을 맺는다.

서양의 경우, 멕시코에서의 결혼은 혼인 합의가 이루어진 날로부터 1년간의 약혼 기간을 둔 후 혼례를 하는 것이 관례로 되어 있다. 그러나 약혼식을 한다거나 예물을 교환하는 특별한 절

▲ 폐백

차는 없고, 이 기간에 집을 마련하는 등의 실질적인 결혼 준비를 한다. 1년간의 약혼 기간이 지나면 성당에서 결혼식을 하게 되는데, 전통 의상을 입은 신랑과 신부가 성직자 앞에서 부부의 인연을 맹세하고 서로 예물을 교환한다.

▶ 질문

1. 결혼의 의의는 무엇이라고 생각합니까? 서로 이야기해 봅시다.

2. '혼인을 정하기 위하여 집안끼리 오가는 말'의 뜻을 가진 단어는 무엇입니까?

3. 한국의 전통 혼례에서는 신랑의 사주를 적어 신부에게 정식 청혼을 하게 되는데, 이때 사주란 무엇을 말합니까?

4. 혼례식을 마친 신부가 시댁에 가서 어른들에게 인사를 드리는 것을 무엇이라고 합니까?

5. 여러분 나라의 전통 혼례에 대해 소개해 봅시다.

▶ 단어 정리

· 결혼   marriage   結婚
· 연령   age   年齢
· 조상   ancestors   先祖
· 제사   worship services to family ancestors   法事
· 자손   offspring   子孫
· 후대   future generations   次の世代
· 존속   continue to exist, last   存続
· 혼례   an old Korean word for marriage   婚礼
· 혼담   marriage arrangement negotiation   婚談
· 사주   one's destiny or fate   生まれた年, 月, 日, 時間の干支(結婚や運勢を占う資料になる)
· 청혼   proposal   プロポーズ
· 예물   family wedding gifts   結納品
· 전안청   Jeon-an-cheong (a place where the groom bows to the couple of wooden wild geese)   結婚の時, 新郎が雁を新婦の家に持って行き膳の上にのせて儀式を行う場所
· 초례청   Cho-rye-cheong (a place where the wedding ceremony is performed)   結婚の式場
· 대례상   dae-rye-sang(a table used at the traditional marriage in Korea)   結婚式の際の礼の儀式で新郎と新婦の間に置かれる大テーブル
· 정갈히   cleanly   清潔に
· 맞절   bow to each other   互いに向き合ってするおじぎ
· 부부   husband and wife   夫婦
· 폐백   a procedure of traditional wedding ceremony   新婦がしゅうと, しゅうとめに初対面の儀式を行なうこと
· 약혼   engagement   婚約
· 관례   common practice   慣例
· 성직자   clergy   聖職者
· 인연   karma   因縁
· 맹세   vow   誓い, 誓約

3 명절
Holidays

나라마다 각기 다른 명절들이 있다. 그러나 가을 추수 시기에 한 해의 결실을 기뻐하는 명절은 여러 나라에서 흔히 찾아볼 수 있다. 한국의 '추석'은 수확을 즐거워하는 가을의 명절이다. 이때는 바쁜 생활을 뒤로 하고 온 가족들이 한 곳에 다 모인다. 추석은

▲ 길쌈

설과 함께 가족들이 만나는 기쁨과 화해가 어우러진 최대의 명절이다. 그러면 추석의 유래에 대해 살펴보자.

추석은 음력 8월 15일로, 옛날에는 '한가위' 또는 '가위'라고 했다. '한'은 '크다'라는 의미이다. '가위'는 '가운데'라는 의미이다. '가위'는 신라 때 길쌈 놀이인 '가배'에서 나왔다. '길쌈'이란 실로 베를 짜는 일을 말한다. 신라 유리왕 때 한가위 한 달 전에 여자들이 궁궐에 모여 두 편으로 나뉘어 한 달 동안 베를 짰다. 그리고 한 달 뒤인 한가위날 그 동안 짠 베의 양을 비교했다. 진 편이 이긴 편에게 잔치를 차려 준 데서 '가배'라는 말이 나왔다. '가배'는 나중에 '가위'라는 말로 변했다.

추석이 되면 무더위는 물러가고 서늘한 가을이 된다. 가을에는 곡식과 과일이 무르익는 풍요로운 계절이 된다. 그래서 새로 난 곡식으로 술과 송편을 만들고 햅쌀밥을 짓는다. 이것으로 조상께 차례를 지내고 이웃과 나누어 먹는다. 저녁에는 밝은 보름달 아래서 한국의 전통적인 춤을 추며 '강강수월래'라는 노래를 부르며 논다.

현재는 차례를 지내고 풍성한 음식

▲ 성묘

을 만들어 먹는 것이 추석의 풍습으로 남아 있다. 또한 할아버지로부터 손자, 손녀까지 대가족이 한 자리에 모여 대화하며 즐기는 날로 지켜지고 있다.

▲ 강강수월래

▶ 질문

1. 추석의 다른 이름은 무엇입니까?

2. '가위' 라는 이름은 어디서 유래했습니까?

3. 다음 전통 놀이와 그 놀이를 하는 명절을 연결해 봅시다. 그리고 명절들에 대해 이야기해 봅시다.

① 연날리기   ㉠ 정월 대보름

② 쥐불놀이   ㉡ 추석

③ 길쌈놀이   ㉢ 설날

④ 씨름   ㉣ 단오

4. 여러분의 나라에는 추석과 비슷한 명절이 있습니까? 있다면 소개해 봅시다.

▶ 단어 정리

· 명절 celebration day (holiday) 祝日
· 유래 origin 由来
· 뒤로 하고 to leave behind and 〜
　　　　置いておき
· 추석 Chuseok (→ a Korean traditional holiday) お盆
· 음력 the lunar calendar 旧暦
· 길쌈 weaving by hand 機織り
· 베 hemp cloth, linen 麻糸, 綿糸, 絹糸などで織った
　　布地
· 짜다 to weave 織る
· 궁궐 palace 宮廷
· 잔치를 차리다 to give a feast 宴を催す

· 물러가다 to be over 過ぎ去る
· 곡식 grains 穀物
· 무르익다 to ripen 実る
· 풍요롭다 to be rich, abundant 豊かだ
· 나다 to crop 出来る; 出回る
· 송편 Korean rice cake 松の葉を敷いて
　　蒸した餅
· 햅쌀밥 steamed rice made with new crop
　　新米で炊いた飯
· 차례 ancestor memorial rite
　　祖先の魂を祭る儀式
· 보름달 full moon 満月

Famous People of Korea

세종 대왕 (King Sejong)

▲ 세종 대왕

한국에는 위인들이 많이 있지만, 그 중에서도 한글을 만든 세종 대왕에 대해 알아보자.

옛날 한국 사람들은 말은 있었지만 글이 없어서 중국 글자인 '한자'를 사용했다. 그러한 글이 없는 한국에 '한글'을 만든 사람이 세종 대왕이다. 세종 대왕은 조선 태종 임금의 셋째 아들로, 어릴 때의 이름은 충녕군이었다. 충녕군은 책읽기를 좋아했다. 밖에 나가서 놀지 않고 언제나 책만 읽었다. 충녕군이 공부를 열심히 했기 때문에 태종 임금은 무척 기뻐하였다.

그러나 한편으로는 충녕군의 건강이 몹시 걱정되었다. 태종 임금은 신하들에게 충녕군의 방에 있는 책을 모두 치우도록 하였다. 그래서 충녕군이 잠시 밖으로 나간 사이에 신하들은 책을 치웠다. 며칠 후, 신하들은 기절할 뻔하였다. 왜냐하면 충녕군이 다시 책을 읽고 있었던 것이다.

이렇게 책을 사랑한 충녕군은 마침내 조선의 제4대 임금이 되었다. 세종 대왕은 왕이 되자 제일 먼저 백성들이 배우기 쉽고 읽고 쓰기 편리한 글자를 만들려고 생각하였다. 세종 대왕은 집현전을 만들고 여러 학자들에게 학문을 연구하게 하였다. 집현전 학자들과 함께 한글을 만드는 데에 모든 노력을 다했다.

마침내 1443년에 발음에 기초한 과학적이고 체계적인 한글이 만들어졌다. 한글 창제는 세종 대왕뿐만 아니라 모

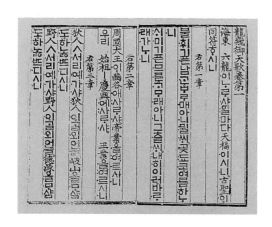

▲ 용비어천가

든 백성을 기쁘게 하였다. 백성들은 배우기도 쉽고 쓰기도 쉬운 한글을 가지고 마음대로 자신의 생각과 마음을 전할 수가 있었다. 이렇듯 세종 대왕은 백성을 특별히 사랑했던 임금이었다.

질문

1. 충녕군은 왕이 되자 제일 먼저 무슨 생각을 했습니까?

2. 한글은 언제 만들어졌습니까?

3. 한글 모음의 세 가지 기본 모양, 즉 'ㆍ, ㅡ, ㅣ'는 하늘과 땅과 사람을 의미하고, 자음은 발성 기관의 조음 위치에 따라 만들어졌습니다. 실제로 조음 위치를 그려 보고 발음해 보며 한글이 어떻게 만들어졌는지 토론해 봅시다.

4. 한글과 여러분 나라의 문자를 비교해서 이야기해 봅시다. 여러분 나라의 문자의 유래에 대해 이야기해 봅시다. 모음과 자음 소리 중 한글에만 있는 것, 여러분 나라의 언어에만 있는 것을 비교해 봅시다. 소리내기 어려운 발음에는 어떤 것이 있습니까?

단어 정리

- 세종 대왕 a king (4th) of Joseon dynasty
      世宗大王
- 조선 an old dynasty of Korea(1392~1910)
      朝鮮
- 태종 a king (3rd) of Joseon dynasty   太宗
- 임금 king 王様
- 기절할 뻔했다 to be[past] nearly fainted
      倒れそうになった
- ~이 되자 after becoming (some position),
      ~になると
- 집현전 an organization of scholar which
      was main part in making Hangeul
      集賢殿(李朝時代初期の官庁)

- 마침내 at last, finally いよいよ, とうとう
- 과학적 scientific 科学的
- 체계적 systematic 体系的
- 창제 invention 創製
- ~뿐만 아니라 ~not only, but also~
      ~だけではなく
- 백성 the common people (→ the old form of 국민)
      百姓
- 전할 수가 있었다 to be[past] able to transfer
      (communicate) 伝えることができた
- 업적을 남기다 to leave achievements
      業績を残す

신사임당 (Sin Saimdang)

신사임당은 조선 중기의 여류 문인으로 현명한 아내, 훌륭한 어머니, 그리고 예술가로서 한국 여성의 대표적인 본보기가 되고 있다. 사임당은 어릴 때부터 그림을 그리는 재주가 뛰어났다. 산수·포도·풀·곤충 등을 실재처럼 생생하게 그려냈다.

▲ 신사임당 　　　　　▲ 초충도

어느 날, 사임당이 친구들과 잔칫집에 놀러갔는데 한 친구가 그만 치마를 더럽히고 말았다. 친구가 너무 걱정하자 사임당은 치마의 얼룩 위에 포도송이를 그리기 시작했다. 잠시 후에 얼룩은 예쁜 포도로 변했다. 또한 사임당의 그림을 본 숙종 임금은 깜짝 놀랐다. 그림 속의 풀과 벌레가 마치 살아 있는 것 같았기 때문이다.

사임당의 그림에 관한 다른 에피소드가 있다. 어느 날, 사임당은 자신이 그린 풀벌레 그림을 말리려고 마당에 내놓았다. 잠시 후, 그림을 가지러 간 사임당은 깜짝 놀라고 말았다. 왜냐하면 닭이 그림 속에 있는 풀벌레가 진짜인 줄 알고 먹으려고 다 쪼아 버린 것이었다.

19세가 되자 사임당은 결혼을 했고, 결혼해서는 남편을 위해 최선을 다하였다. 게다가 자식들에게도 많은 관심을 갖고 훌륭하게 키워냈다. 사임당의 일곱 자녀들은 모두 학식과 덕망이 높았다. 그 중에서도 셋째 아들 율곡은 학문의 깊이가 매우 깊어 동방의 성인으로 불리게 되었다.

▲ 율곡 이이

신 사임당의 시

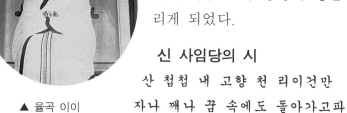

산 첩첩 내 고향 천 리이건만
자나 깨나 꿈 속에도 돌아가고파

한송정 가에는 외로이 뜬 달
경포대 앞에는 한 줄기 바람.
갈매기는 모래톱에 흩어졌다 모이고
고깃배들 바다 위로 오고가리니.
언제나 강릉길 다시 밟아 가
색동옷 입고 앉아 바느질할까.

▲ 오죽헌-이이의 생가

▶ 질문

1. 신사임당은 주로 어떤 그림을 그렸습니까?

2. 잔칫집에서 친구의 치마가 더럽혀지자 사임당은 어떻게 했습니까?

3. 신사임당이 한 일에 대해 책이나 인터넷에서 더 찾아 발표해 봅시다.

4. 신사임당 시의 주제는 무엇입니까? 시를 감상해 봅시다.

5. 신사임당과 현대의 여성을 비교하면서 바람직한 여성상에 대해 이야기해 봅시다.

▶ 단어 정리

- 조선 중기 middle years of Joseon dynasty
      朝鮮中期
- 여류 문인 literary women, women writer
      女流文人
- 현명한 wise, intelligent 賢い
- 본보기 A good example 手本
- 재주 talent 才能
- 뛰어났다 to be[past] outstanding 優れた
- 산수 hills and streams 山水
- 얼룩 stain, spot 染み

- 숙종 a king (19th) of Joseon dynasty 肅宗
      (朝鮮の19代目の王)
- 쪼아버리다 to peck at and eat
      ついばんで(食べて)しまう
- 학식 knowledge 學識
- 덕망 moral influence, reputation 人德
- 율곡 a famous scholar in Joseon dynasty
      栗谷(朝鮮時代の学者の名前)
- 동방의 성인 saint of the east 東方の聖人

1 한국의 악기
Korean Musical Instruments

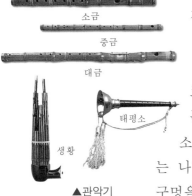
소금
중금
대금

태평소
생황
▲관악기

한국의 악기를 서양의 방법으로 분류해 보면 크게 관악기, 현악기, 타악기로 나누어 볼 수 있다. 관악기(管樂器)는 목관악기(木管樂器), 금관악기(金管樂器)의 두 가지로 구분되나 한국의 악기는 죽관악기(竹管樂器)가 대부분이며, 훈, 생황, 태평소 등 몇 개의 예외가 있다. 관악기는 부는 방법에 따라 다섯 가지로 구분된다. 가로로 부는 악기로는 대금, 중금, 소금이 있으며, 세로로 부는 악기로는 단소와 통소 등이 있고 그 밖에 피리, 태평소, 생황이 있다. 마지막으로 아래, 윗입술을 다 대고 부는 나발과 나각이 있는데, 나각은 자연산 소라의 뾰족한 끝에 구멍을 뚫어 만든다.

현악기(絃樂器)는 대부분 명주실로 만든 줄을 쓰는데, 양금(洋琴)만 금속 줄이 쓰이며 악기를 연주하는 형태에 따라 4가지로 구분된다. 활로 줄을 문질러 소리를 내는 악기로는 아쟁, 해금이 있고, 술대로 줄을 때리듯이 연주하는 악기로는 거문고가 있으며, 16개의 괘(기타의 플랫과 비슷한 역할을 함)에 6줄이 올려져 있다. 손가락으로 뜯거나 튕겨서 타는 악기는 가야금·비파 등이 있으며 가야금은 12줄로 되어 있으나 요즘은 17줄, 22줄 등 악기를 개량하여 다양하고 새로운 음악들이 연주되고 있다. 현악기에 속하지만 명주실이 아닌 금속성의 줄을 대나무로 얇게 깎아 만든 채로 연주하는 악기로는 양금이 있다.

해금

거문고

가야금

아 쟁
▲현악기

한국의 악기 중에 가장 종류가 많은 것은 타악기(打樂器)이다. 전부 32종이 있고 그 중 북 종류만 18가지에 이른다. 타악기는 고정된 음 높이를 가진 악기와 구분된다. 고정된 음 높이를 가지고 있는 악기는 편종, 편경, 방향, 운라, 특종, 특경 등 6가지이며, 음 높이가 없는 타악기로 가장 많이 알려진 것으

장고   꽹과리
▲타악기

로는 장고, 북, 꽹과리, 징, 소고 등이 있다.

그러나 요즘은 많은 음색과 소리의 다양함을 얻기 위해 악기들을 개량하여 쓰거나 서양의 타악기들을 쓰기도 한다.

▶ 질문

1. 악기를 구분하는 방법에는 어떤 것들이 있습니까?
2. 한국의 관악기를 부는 방법에 따라 구분해 보시오.
3. 한국의 현악기는 어떤 방법으로 구분하는지 써 보시오.
4. 장고, 북, 꽹과리, 징, 소고는 어떤 악기로 분류할 수 있습니까?
5. 한국의 악기로 연주되는 국악을 들어 본 적이 있습니까? 여러분 나라의 음악과 어떻게 다른지 이야기해 봅시다.

▶ 단어 정리

- 관악기   wind instrument   管楽器
- 현악기   stringed instrument   弦楽器
- 타악기   percussion instrument   打楽器
- 목관악기   woodwind instrument   木管楽器
- 금관악기   brass instrument   金管楽器
- 죽관악기   bamboo instrument   竹管楽器
- 가로로 불다   to blow horizontally   横に吹く
- 세로로 불다   to blow vertically   立てに吹く
- 입을 대고 불다   put one's mouth on and blow it   口にあてて吹く
- 뾰족한 끝   pointed tip   鋭い先端
- 구멍을 뚫다   to bore a hole   穴をあける
- 명주실   silk thread   絹糸

- 금속줄   metallic string   金属の弦
- 줄을 문지르다   to rub strings   弦を擦る
- 줄을 때리듯이 연주하다   to play music as beating strings   弦を叩くように弾く
- 손가락으로 뜯다   pluck(pull) it with fingers   瓜で弾く
- 개량하다   to improve   改良する
- 얇게 깎아 만든 채   whittled thin stick   薄く削って造った撥
- 고정된 음높이를 갖다   to have fixed tune   固定された音の高さを持つ
- 음색   tune color   音色

2 백남준의 비디오 예술
Video Arts of Nam-June Paik

▲ 백남준

전위 예술의 한 종류인 플럭서스 (Fluxus) 창시자 가운데 유일한 동양인인 백남준은 현재 플럭서스의 창시자로서보다는 비디오 아트(Video Art)의 시조로 널리 알려져 있다.

1932년 7월 20일 서울 출생인 백남준은 올해 나이 68세이지만 그에겐 도전과 창조의 정신만이 있을 뿐 어떠한 장애도 그를 막을 수 없다. 1996년 뇌졸중으로 쓰러진 뒤 왼쪽 마비증세를 보이며 거동이 불편해진 그는 육체적 불편함을 정신적 의지로 버티면서 끊임없이 새로움을 향해 도전하고 있다.

20세기에 '비디오는 현대의 종이'라며 비디오 예술을 창시했던 백남준은 2000년 1월 1일 0시 0분 0초에 임진각에서 열린 'DMZ 2000' 퍼포먼스에 출품한 비디오 아트 '호랑이는 살아 있다'에서 '금강에 살으리랏다'라는 노래를 불러 통일을 염원하였다. 또한, 2월에는 뉴욕의 구겐하임 미술관에서 미 해군이 개발한 레이저까지 동원해 '천지인(天地人)'이라는 주제로 가진 두 번째 개인 회고전을 통해 전자의 시대를 뛰어넘어 광자의 시대가 도래했음을 선포했다. 이미 18년 전 뉴욕 휘트니 미술관에서 회고전을 가진 경험이 있는 그는 1984년 '굿모닝 미스터 오웰'에서 정보 통신 사회의 도래를 전망하였으며, 1995년에 이미 지금의 인터넷과 같은 정보 초고속 사회를 이야기한 '예언자'이기도 하다.

백남준은 한국 국민에게 "21세기엔 한국 젊은이의 창조력과 모험심, 부단한 시도와 실패, 그 가운데 얻어지는 노력 속에서 한국이 세계의 중심이 될 수 있으며, 그러기 위

▲ 고대기마인상(1991)

해서는 호랑이의 이미지를 21세기 한국인의 상징으로 삼아, 호랑이처럼 강하고 자신있게 새 밀레니엄 시대를 맞자. 한국인은 살아 있다"고 외치고 있다.

▲ 백남준 비디오아트쇼

▶ 질문

1. 밑줄 친 '비디오는 현대의 종이'란 무슨 뜻인지 이야기해 봅시다.

2. 백남준은 한국의 젊은이에게 어떠한 메시지를 주었습니까?

3. 백남준에 대한 정보를 더 많이 찾아보고 그의 예술 정신에 대해 토론해 봅시다.

4. 당신은 어떤 예술을 좋아합니까? 전시회나 연주회, 연극, 영화 등을 본 경험을 이야기해 봅시다. 전위 예술에 대해 어떻게 생각합니까?

▶ 단어 정리

· 전위 예술 avant-garde アバンギャルド
· 비디오 아트 video art ビデオアート
· 시조 originator 創始者
· 막을 수 없다 not be alte to stop
        止めることができない
· 뇌졸중 apoplexy, stroke 脳卒中
· 마비증세 paralysis symptom 麻痺症状
· 거동이 불편하다 to be uncomfortable to
        move one's body 身動きが不便だ
· 의지로 버티다 to persist with willpower
        根性で耐える
· 임진각 a building located in near DMZ
        臨津閣

· 통일을 염원하다 to wish to get together South
        and North Korea 統一を念願する
· 천지인 Heaven, Earth, and Human 天地人
· 개인 회고전 retrospective exhibition of a
        person's art works 個人懷古展
· 시대를 뛰어넘다 to rise above the time
        時代を越える
· 광자의 시대 age of photon 光子の時代
· 정보 초고속 사회 information superhighway
        情報超高速社会
· 예언자 foreteller 予言者
· 자신있다 to be confident 自信ある

3 탈춤
Mask Dance

▲ 하회탈

한국의 탈춤은 탈을 쓰고 춤을 추면서 공연하는 연극이다. 그러나 일반 연극처럼 대사 위주로 진행되지 않고 음악에 맞춘 춤과 노래가 주가 된다. 극의 내용은 서민 계층의 생활 경험을 엮은 것이다. 사회의 부도덕을 고발하고, 양반 계급을 비웃으며, 승려들의 타락을 비난하기도 한다. 다시 말해 민중의 불만을 풍자를 통하여 표현한다.

한국 역사 속에서 이어져 내려온 탈춤은 시기와 지역에 따라 다른 명칭과 내용을 보여 왔다. 북부 지역은 탈춤이라는 명칭으로 전승되어 왔으며, 중부 지역은 산대놀이, 남부 지역은 들놀음과 오광대로 불리어 왔다.

이 중 가장 유명한 봉산 탈춤은 강령 탈춤과 함께 황해도 탈춤의 쌍벽을 이룬다. 5일장이 서던 거의 모든 장터에서 1년에 한 번씩은 놀았다고 한다. 봉산 탈춤은 장삼 소매를 휘뿌리는 깨끼춤이 기본이 되었다. 의상은 무당의 옷에서 따온 것이 많아 몹시 화려하였다. 탈춤을 추던 이들은 남자로 제한됐으나 1920년대 이후에는 기생들도 출 수 있었다. 모두 28개의 탈을 사용하였다.

탈춤 속에는 한국인의 낙천적인 성격과 여유가 담겨 있다. 이 춤을 통해 평소의 불만과 갈등을 해소했다. 이어지는 뒤풀이에서는 춤을 추는 사람들과 관중들이 한데 어울려 춤을 춤으로써 관객과 춤꾼이 하나가 되었다.

▲ 봉산 탈춤

▲ 강령 탈춤

1. 탈춤이란 무엇입니까?

2. 한국의 탈춤은 지방에 따라 명칭이 어떻게 다릅니까?

3. 봉산 탈춤의 특징은 무엇인지 이야기해 봅시다.

4. 한국 사람들이 왜 탈춤을 추었을까요? 서로 토론해 봅시다.

5. 한국의 전통적인 춤으로 탈춤 외에 어떤 것들이 있습니까? 이야기해
   봅시다.

▶ 단어 정리

· 탈   mask   仮面
· 공연하다   to perform   公演する
· 대사   script   せりふ
· 위주   priority, putting first   主に
· 진행되다   to proceed   進行される
· 주가 되다   to be the main part   主になる
· 서민 계층   common people   庶民階層
· 부도덕   immorality   不道徳
· 양반 계급   the aristocratic class   貴族階級
· 고발하다   to accuse   告発する
· 비웃다   to laugh(sneer) at   嘲笑する
· 타락   moral corruption   堕落
· 비난하다   to blame, criticize   非難する
· 민중   the public   民衆
· 불만   dissatisfaction   不満
· 풍자   satire   皮肉
· 명칭   name   名称

· 전승되다   to be handed down   伝承される
· 쌍벽   the two greatest wall (→ competition)   双壁
· 5일장   a traditional market with five days interval
          五日ごとに開かれる市
· 장터   traditional market place   市場の場所
· 무당   shaman   巫女
· 제한하다   to limit   制限する
· 기생   professional women entertainers in old Korea
          芸者
· 낙천적인   optimistic   楽天的な
· 여유   composure, attitude of mind   余裕
· 불만   complaint   不満
· 갈등   trouble, conflict   葛藤
· 해소하다   to refresh oneself   解消する
· 뒤풀이   after-performance party
          公演が終った後にする会

2

건강과
스포츠, 그리고 성
Health, Sports and Gender

1 당신도 '폐암'이 노리는 사람?
Are you in Danger of Lung Cancer?

한국 성인 남자의 흡연율은 세계 최고라고 한다. 한국인이 많이 걸리는 암에는 위암, 간암, 폐암 등이 있다. 특히 폐암은 발생률과 함께 사망률이 높아 조기 진단과 치료 가능성에 많은 관심이 쏠리고 있다. 폐암의 사망률이 높은 이유 중 하나는 이미 병세가 많이 진행된 상태에서 발견되기 때문이라고 한다.

폐암도 다른 암과 마찬가지로 일찍 발견할수록 치료 성적이 좋다. 이를 위해서는 40세 이상 성인은 매년 1회씩 가슴 엑스레이를 찍어야 한다. 폐암 환자 10명 중 1명은 전혀 증상이 없는 경우도 있기 때문에 정기 검진은 더욱 중요하다. 가슴 엑스레이를 찍으면, 대부분 조기에 발견할 수 있다.

폐암 예방의 첫째 조건은 금연. 흡연량과 폐암의 위험도는 정비례하여, 하루 2갑씩 20년간 담배를 피운 사람은 폐암이 걸릴 확률이 일반인보다 60~70배 높다. 실제로 폐암 환자의 90%가 담배를 피운 경험이 있는 것으로 조사되었다.

흡연자가 금연을 하면 폐암 발병 위험이 감소하는데, 금연 후 3년 이상이 지나면 위험이 현저히 감소하고 15년 이상 경과되면 폐암 발생률은 비흡연자 수준으로 떨어진다.

당신도 '폐암'이 노리는 사람이 되지 않기 위해, 그저 남이 피우니까 습관적으로 피우는 담배라면, 이제 끊어 보는 것이 어떨까? 니코틴 중독이 심각한 경우에는 니코틴 패취를 이용하거나, 병원의 금연 클리닉에 도움을 청하는 것도 좋은 방

▲ 폐암 예방-비타민 섭취

법이다. 또한 토마토나 시금치, 당근 등의 비타민 섭취 역시
폐암 예방에 효과가 있는 것으로 알려져 있다.

▶ 질문

1. 한국인이 많이 걸리는 암에는 무엇이 있습니까?

2. 폐암의 사망률이 높은 이유는 무엇입니까?

3. 폐암의 가장 큰 원인과 예방책은 무엇입니까?

4. 본문에 의하면 니코틴 중독이 심각한 경우에는 어떻게 해야 합니까?

5. 좋은 금연 방법을 알고 있다면 함께 이야기해 봅시다.

▶ 단어 정리

- 흡연 smoking 喫煙
- 위암 stomach cancer 胃癌
- 간암 liver cancer 肝臟癌
- 폐암 lung cancer 肺癌
- 사망률 death rate 死亡率
- 치료 treatment, cure 治療

- 정기검진 regular check-up 定期檢診
- 예방 prevention 予防
- 현저히 significantly 著しく
- 노리는(노리다) to attempt the life of 狙う
- 섭취 intake, consume 摂取
- 효과 effectiveness 効果

우리가 일상 생활을 하다 보면 피할 수 없는 것 중에 하나가 바로 스트레스다. 최근 한 조사에 의하면 고등학생의 12.6%가 우울증에 시달리고 있으며, 공부와 진로 등의 문제로 스트레스를 받고 있다고 한다. 직장인들은 직장 내 대인 관계 때문에 많은 스트레스를 받고, 주부들은 육아, 살림을 하면서 스트레스를 받는다. 이렇게 피할 수 없는 스트레스라면, 힘들다고 짜증만 내지 말고 자신에게 맞는 좋은 스트레스 해소법을 찾아보면 어떨까?

스트레스에도 좋은 스트레스와 나쁜 스트레스가 있다고 한다. 아슬아슬하게 높은 산을 오르거나, 공포 영화에서 스릴을 느낄 때 역시 상당한 스트레스를 받는데, 이런 스트레스는 몸에 좋다. 그러므로 등산이나 영화 감상 같은 취미생활이 스트레스 해소의 한 방법이 될 수 있다. 따라서 농구나 축구, 수영, 테니스 등 자신이 좋아하는 운동을 하는 것도 좋다.

운동은 스트레스 해소뿐만 아니라 심장을 튼튼히 하고 노화를 방지하는 등 여러 가지 효과가 있다. 운동을 시작한 후 처음 20분간은 조금 힘이 들지만, 30분이 지나면 긴장과 불안, 두려움이 사라지고 유쾌한 감정이 생기게 된다. 그래서 운동 후엔 새로 태어난 것처럼 기분이 상쾌해지고, 자신감과 집중력도 향상되는데, 이런 효과는 6~24시간 지속된다.

여성들의 경우에는 스트레스를 받으면 허리띠까지 풀어 가며 이것저것 마구 먹는 사람도 있다. 이러

▲ 녹황색 채소, 과일 섭취

한 습관은 비만, 성인병으로 이어질 수 있어 매우 위험하다. 하지만 이런 경우에도 열량이 높은 가공 식품보다는 과일이나 야채 등 자연 식품을 이용한다면 그리 큰 문제는 아닐 듯 싶다. 연구 결과에 의하면, 매일 15가지 이상의 녹황색 채소, 과일을 먹으면 위암 및 다른 암 예방에도 효과적이라고 한다.

▶ 질문

1. 고등 학생들의 스트레스 주요 원인은 무엇입니까?
2. 몸에 좋은 스트레스의 예를 들어 봅시다.
3. 운동의 여러 가지 효과들을 적어 봅시다.
4. 비만이나 성인병으로 이어질 수 있는 위험한 습관은 무엇입니까?
5. 자신만의 좋은 스트레스 해소법이 있습니까? 있다면 어떤 방법인지 함께 이야기 해 봅시다.

▶ 단어 정리

· 일상 생활 daily life 日常生活
· 우울증 mental depression うつ病
· 진로 course (in life) 進路
· 대인 관계 interpersonal relations 対人関係
· 육아 raising children 育児
· 공포 영화 horror movie ホラー映画

· 해소하다 to relieve 解消する
· 노화 aging 老化
· 긴장 tension 緊張
· 유쾌한 cheerful 愉快な
· 비만 obesity 肥満
· 가공 식품 instant food, fast food 加工食品

3 적당한 술, 심장병 예방
A Little Amount of Alcohol Can Prevent a Heart Disease.

적 포도주가 심장병에 좋다는 것은 오래 전부터 알려진 상식이다. 그러나 1996년 미국 하버드대 연구 팀은 포도주뿐 아니라 맥주나 양주 등 모든 종류의 술이 심장병을 예방하는 효과가 있다는 연구 결과를 보고했다. 술과 담배는 반드시 끊어야 할 '건강의 적'으로 생각해 왔으나, 최근 들어선 술을 권하는 의사들이 많아지고 있다. 물론 폭주나 잦은 과음은 간을 손상시키지만 반주로 하루 한두 잔 정도의 술은 심장병 예방에 좋다고 한다. 특히 맥주는 최근 일본의 한 연구 팀에 의해 항암 효과가 있는 것으로 밝혀졌다.

그렇다면 '적당량'이란 얼마나 될까? '적당량'이란 보통 잔으로 두 잔 정도를 말하며 사람에 따라 다르다. 하지만 술 종류에 관계없이 하루 알코올 섭취량이 80g을 넘으면 간에 병이 생길 수 있다고 한다. 맥주 1000cc 에는 40g, 소주 360cc 한 병에는 알코올 90g이 들어 있으니, 하루에 그 이상을 마시면 간에 손상을 준다는 이야기이다. 술은 한번에 많이 마시는 것이 더 위험하고 음주 후에는 최소 3일은 쉬어야 한다고 한다.

사회 생활을 하다 보면 여기저기 술자리가 많다. 한국 사람들은 술자리를 같이 하면 술을 억지로 권하는 경우가 많다. 그래서 싫어도 어쩔 수 없이 마셔야 하는 경우도 종종 있다. 그러나 이제는 1차, 2차, 3차로 이어지는 술 문화를 바꾸고, 술을 강요하기보다는 자유로운 선택에 맡겨야 한다. 각자 자신에게 맞는 적당량을 마시고 기분 좋게 술자리를 마칠 수 있다면 건강에도 그리 나쁘지 않을 것이다.

1. 상식적으로 어떤 술이 심장병 예방에 좋다고 알려져 있습니까?

2. 항암 효과가 있는 술은 어떤 술입니까?

3. '적당량'이란 어느 정도의 양을 말하는 것입니까?

4. 음주 후에 쉬어야 하는 최소한의 기간은 얼마 동안입니까?

5. 한국 사람들의 술 문화와 여러분 나라의 술 문화는 어떻게 다른지 함께 이야기해 봅시다.

▶ 단어 정리

- 심장병   heart disease   心臟病
- 상식   common sense   常識
- 폭주   heavy drinking   暴飮
- 반주   drinking with a meal   食事中の飲酒
- 항암 효과   anti-cancer effect   抗癌效果

- 억지로 by force むりやりに
- 해로운(해롭다)   harmful   害になる
- 강요하다   force to, press to   強要する
- 자유로운   free   自由な
- 선택   choice   選擇

1 태권도
Taekwondo

한국의 전통 무술 태권도는 몸과 마음을 수련하여 인격을 닦는 무술이다. 특히 태권도는 남을 공격하는 것이 아니라 자기를 방어하는 것이 목적인 무술이다. 이러한 태권도는 국제적으로 공인된 스포츠인데, 1988년 서울 올림픽에서 시범 경기 종목으로 채택된 뒤, 2000년 시드니 올림픽에서는 정식 종목이 되었다.

태권도는 9급에서 시작하여 1급까지의 초보자 과정을 마친 후, 1단부터 9단까지 유단자 과정이 있다. 초보자는 흰띠부터 시작하게 되는데 흰색은 한국인에게 아주 중요한 의미가 있다. 이 색깔은 모든 색깔의 기본이 되는 동시에 시작과 탄생을 의미한다. 이렇게 시작된 태권도는 검은 띠를 매는 유단자가 되기까지 많은 수련을 반복해야 한다.

태권도의 기본 동작은 맨발과 맨손을 이용한 기술로 이루어

▲ 태권도

져 있다. 태권도는 상대방의 공격을 막는 '막기'와 다리로 상
대방을 가격하는 '차기'라는 기술이 있다. 또한 주먹은 태권
도의 가장 기본적인 공격 무기인데, 안면, 가슴, 배 등의 급소
를 공격하는 데에 주로 사용된다.

▶ 질문

1. 태권도의 목적은 무엇입니까?
2. 태권도는 언제 정식 종목으로 채택되었습니까?
3. 상대방의 공격을 막는 기술은 무엇입니까?
4. 일본의 가라데, 중국의 쿵후와 태권도를 비교해 보고, 여러분 나라의 전통무술에
   대해 소개해 봅시다.
5. 자신의 방어를 위해 약간의 무술을 배워야 할 필요성을 느낀 경험이 있습니까?
   그렇다면 어떤 무술을 배우고 싶습니까?

▶ 단어 정리

- 전통   tradition   伝統
- 무술   martial arts   武術
- 태권도   Taekwondo   跆拳道
- 국제적   international   国際的
- 공인된   approved   公認された
- 몸   body   身体
- 마음   mind   心
- 수련   training   修練
- 인격   personality, character   人格
- 남   stranger   他人
- 공격   attack   攻撃
- 방어   defense   防御
- 올림픽   Olympic Games   オリンピック
- 시범 경기   exhibition match   模範演技
- 종목   item   種目
- 채택   adoption, accepting a plan   採択

- 초보자   beginner   初心者
- 기본   the basic   基本
- 동시에   at the same time   同時に
- 탄생   birth   誕生
- 유단자   grade-holder   有段者
- 반복   repetition   反復
- 이용한   making use of   利用した
- 기술   skills   技術
- 상대방   match-mate   相手
- 효과적   effective   効果的
- 주먹   fist   こぶし
- 무기   weapon   武器
- 급소   vital part of body   急所
- 주로   mainly   主に
- 가격하다   to attack   攻撃する

2 스모와 무에타이
Sumo and Muetai

스모는 일본의 역사와 전통을 대표하는 국기이다. 스모는 나라 시대(710년-784년)를 거쳐 에도 시대(1603년-1867년)에 이르러 대중화되었다. 이러한 오

▲ 일본의 스모

랜 전통을 가진 스모는 지금은 전 국민의 스포츠가 되었으며, 경기는 1년에 모두 6차례(1월, 3월, 5월, 7월, 9월, 11월) 열린다. 스모는 체급에 따라 여러 급수로 나누며 무게가 가장 많이 나가는 체급이 가장 인기가 있다. 엄청난 체중을 가진 스모 선수들이 서로 겨루는 모습은 장관이다. 그들은 엄청난 양의 식사를 한다. 체중을 유지하며 힘과 기술을 기르는 것이 중요하다.

무에타이는 태국의 전통 국기이며 약 1000년의 역사를 자랑하고 있다. 경기는 3분간 5회전으로 이루어지며 각 경기 사이에 2분간 휴식 시간이 있다. 또한 무에타이는 전신을 타격 부위로 하며 체급을 다르게 하여 싸운다. 이 스포츠는 손과 발

▲ 태국의 무에타이

뿐만 아니라 무릎, 팔굽 등 인체의 모든 부분을 사용할 수 있다. 절대로 때려서는 안 되는 부분은 머리뿐이다. 태국에서는 머리를 건드리면 영혼이 빠져나간다고 생각하기 때문이다.

![▶] 질문

1. 일본의 대표적인 전통 스포츠는 무엇입니까?

2. 스모 경기는 1년에 몇 차례 열립니까?

3. 스모가 대중화된 것은 어느 시대입니까?

4. 태국의 무에타이의 역사는 몇 년입니까?

5. 무에타이 경기는 어떤 식으로 이루어집니까?

6. 한국의 다른 전통 스포츠인 씨름에 대해 이야기해 봅시다.

![▶] 단어 정리

- 일본   Japan   日本
- 대표(하는)   (be) representative of   代表(とした)
- 국기   national sport   国技
- 나라 시대   the Nara age (of Japanese)   奈良時代
- 에도 시대   the Edo age (of Japanese)   江戸時代
- 대중화   turning into popular   大衆化
- 전국민   all people in the nation   全国民
- 경기   sports games   競技
- 태국   Thailand   タイ
- 사이에   in the interval   間に
- 휴식 시간   break time   休息時間
- 전신   whole body   全身
- 타격 부위   attack parts   打撃範囲

- 체급   class of physical strength
    体級(ボクシング, レスリング等の体重別によるクラス級)
- 다르게 하다   to differentiate   違うことにする
- 싸우다   to fight   戦う
- 절대로   absolutely, unconditionally
    (+ negative form) 絶対に
- 때리다   to hit   叩く
- ~뿐   only   ~だけ
- 건드리다   to touch   触る
- 영혼   spirit   魂
- 빠져나가다   to leave, slip out of   ぬけ出る
- 생각하다   to think   思う
- ~ 때문이다   to be the reason   ~からである

여성과 남성　Women and Men

1 '컴퓨터 중매' 들어 보셨나요?
Have You Ever Heard of Computer Dating Agency?

☿ 즘 결혼 적령기의 미혼 남녀들의 배우자를 찾는 방식이 많이 변했다. 예전에는 주로 학교에서, 직장에서 혹은 주위에 아는 사람을 통해서 소개를 받아 미팅을 했다. 하지만 요즘은 컴퓨터가 개개인에게 맞는 최상의 배우자를 찾아 주기도 한다. 자신의 나이, 성격, 취미, 직업, 학력, 종교 등 150여 가지의 개인 신상을 입력하면 컴퓨터가 정보를 찾아 가장 이상적인 짝을 찾는다.

조사 결과에 의하면, 미혼 여성이 생각하는 좋은 신랑감의 기준은 경제 능력, 성격, 학력, 집안, 외모 순이다. 남자의 경제적 능력을 제일 중요시하는 이유는 대부분의 사람들이 경제적으로 안전하지 못하면 모든 것이 무의미하게 된다고 보기 때문이다. 실제로 부부간의 싸움 원인 중에 돈 문제로 인한 싸움이 적지 않은 것으로 나타나 있다.

특히 신랑감의 경우는 농촌보다는 도시에 직업을 가진 차남을 제일 선호하는 것으로 나타났다. 이러한 결과를 보면 농촌에 살며, 부모님을 모셔야 하는 미혼 남성의 경우 '장가가기가 하늘에 별따기'라는 말이 과장이 아니라는 것을 알 수 있다. 미혼 남성이 생각하는 좋은 신부감의 조건은 성격, 외모, 학력, 직업, 집안 순서라고 한다.

지난 달 서울에 사는 미혼 남녀 각각 천 명을 대상으로 한 결혼관에 대한 조사가 있었다. 연애 결혼을 원하느냐 아니면 중매 결혼을 원하느냐는 질문에 남자는 78%, 여자는 86%가 연애결혼을 원한다고 대답했다. 중매, 맞선이라는 단어들은 왠지 거부감을 느끼게 하지만, '컴퓨터 중매'하면 새롭고 신세대적이다. 그래서인지 최

▲ 新 중매 문화

근에는 이렇게 컴퓨터 중매를 알선해주는 결혼 정보 회사들도 늘고 있다고 한다.

▶ 질문

1. 예전에는 어떤 방법을 통해 배우자를 만났습니까?
2. 미혼 남성이나 여성이 가장 중요하게 생각하는 배우자의 조건은 무엇입니까?
   이 조건에 대해 여러분은 어떻게 생각합니까?
3. '하늘에 별따기' 란 무슨 뜻입니까?
4. 조사 결과에 의하면 사람들은 중매와 연애 중 어느 것을 더 선호합니까? 또한
   여러분의 생각은 어떤지 이야기해 봅시다.
5. 컴퓨터 중매의 좋은 점과 나쁜 점을 각자 생각해 보고 함께 이야기해 봅시다.

▶ 단어 정리

· 중매 matchmaking お見合い
· 결혼 적령기 the right age for marriage
　　　　　　　結婚適齢期
· 배우자 spouse 配偶者
· 개인 신상 personal information 個人情報
· 신랑 bridegroom 新郎

· 이상적인 ideal 理想的な
· 농촌 country, farming community 農村
· 차남 the second son 次男
· 장가가다 to marry (a man) (男が)結婚する
· 연애하다 to date 恋愛する
· 신세대 new generation 新世代

2 맞벌이
Double Income Family

경제적·사회적 지위가 남편보다 높은 주부가 많아졌다. 부업의 종류가 늘어나고 전문직에 종사하는 여성이 많아지면서 아내의 수입이 남편보다 많거나, 아내의 직위가 남편의 직위보다 높은 가정이 늘어나고 있다. 또한 아내의 소득이나 직위가 높은 것을 다행으로 받아들이는 남편들도 늘고 있다.

컨설팅 회사 이사인 박선희 씨가 받는 월급은 어느 대기업 부장인 남편 정모 씨가 받는 월급에 비해 2배 정도 높은 수입이다. 아내의 월급이 남편의 월급보다 10만에서 20만원정도가 많은 맞벌이 부부는 요즘 흔히 찾아볼 수 있다.

아내는 사장님, 남편은 샐러리맨인 부부도 많아졌다. 남편이 어느 대기업 과장인 조수연 씨는 남편이 감원 대상이 되든, 물가가 계속 오르든 그리 크게 걱정하지 않

▲ 전문직 여성의 증가

는다. 서울에 있는 어느 아파트 단지에서 자기 자신이 운영하고 있는 과외학원이 잘 저축해 놓은 돈도 많고 수입도 높아서 생활 걱정이 없기 때문이다.

맞벌이 공무원이나 교사, 회사원 중에는 직장은 다르지만 아내의 사회적 지위가 높은 경우도 적지 않다. 인천 시청의 이 미나 가정 복지 국장은 3급 공무원으로 서울 시청에서 5급으로 근무하는 남편보다 직위가 높다.

아내의 소득이나 사회적 직위가 더 높아 마음이 편하지 못한 남편들도 있지만 대부분은 편안한 가정 생활을 하고 있다. 이들 남편들은 아내가 벌어들이는 소득으로 빚도 갚고, 저축도 하고, 또 오락비로도 지출한다며 아내의 경제적 능력에 대해서 긍정적으로 생각하고 있다.

아내가 직장 생활을 함에 따라 예전에는 주부의 몫으로만

▲ 가사 노동 분담

여겨져 왔던 요리, 청소, 빨래, 설거지 등의 집안일과 육아가 남편과 아내 공동의 몫으로 자리 바꿈하고 있다. 퇴근해서 먼저 집에 오는 사람이 간단하게 저녁 식사를 준비하고, 나중에 온 사람이 설거지를 하는 식으로 집안 일을 서로 나누어 하는 가정이 늘고 있다.

▶ 질문

1. 남편과 아내가 모두 직장을 가지고 일을 하는 부부를 다른 말로 뭐라고 합니까?
2. 위의 글에 의하면 아내의 소득은 주로 어떻게 쓰여집니까?
3. 예전에 주부의 몫으로만 생각되어 왔던 일들을 적어 봅시다.
4. 남편과 아내 모두가 일을 하게 되면 좋은 점과 동시에 나쁜 점도 있습니다. 여러분의 생각을 예를 들어서 이야기 해 봅시다.

▶ 단어 정리

· 사회적 지위 social status   社会的ステータス
· 부업 part-time job   副業
· 소득 income   所得
· 감원 reduction in work force   人員削減
· 맞벌이 부부 double income family
　　　　共稼ぎ夫婦

· 물가 living cost   物価
· 운영하고(운영하다) to run a business   運営して
· 공무원 government employees   公務員
· 빚 debt   借金
· 긍정적 positive   肯定的

3 당신의 몸매에 만족하십니까?
Are You Satisfied with Your Body?

미국여성건강연구소(NWHRC)의 조사에 의하면, "당신의 몸 중 한 군데를 바꿀 수 있다면 그렇게 하겠는가?"란 질문에 "No"라고 답한 사람은 단 1명도 없었다고 한다. '발목이 가늘었으면 좋겠다. 눈이 더 컸으면 좋겠다'는 등 신체 특정 부분에 관한 것이 많았지만, 결정적인 불만은 몸무게. 조사대상자의 3분의 2가 지금보다 몸무게가 줄기 원했다.

▲ 다이어트를 하더라도 동물성 단백질을 충분히 섭취해야 한다.

많은 여성들이 아직도 여전히 '빼빼'를 아름답다고 생각하고 있는 것이다. 자신이 과체중이라고 생각하는 사람은 미국 여성의 95%이다. 인종과 민족, 나이, 생활 수준에 상관없이 모두들 자기 몸무게가 너무 많이 나간다고 생각하고 있다.

그렇기 때문에 많은 여성들이 '다이어트'에 목숨을 걸고 있다. 살을 빼기 위해서 끼니를 아주 거르거나, 채식주의자로 전환을 하거나, 에어로빅, 수영 등 다양한 운동을 하기도 한다. 많은 여성들이 결국 평생 동안 이렇게도 해 보고 저렇게도 해 보는 등 방법을 바꿔가면서 살과의 전쟁을 하고 있다는 것이 우스운 농담만은 아니다.

▲ 고정식 자전거로 하는 유산소 운동

그렇다면 과연 다이어트를 어떻게 해야 효과적인 걸까? 무조건 끼니를 거르는 것은 오래가지 못하고 공복감이 더 심해져 폭식을 할 위험이 높다. 역시 정답은 꾸준하고 규칙적인 운동이다. 주중에는 바쁘다고 운동을 하지 않다가 주말에만 골프나 등산을 하는 사람은 오히려 식욕이 증가해 운동 때 소모된 열량보다 더 많은 칼로리를 섭취하게 된다고 한다. 자신이 좋아하는 운동 종목을 하나 골라 장기적으로 꾸준히 해야 한다. 주 3 - 5회 하루 1시간 이내로 운동하는 것이 좋고, 운동 후 습관적으로 음식이나 음료수를 먹는 것을 피해야 한다고 한다.

그 외 다른 비만 예방법으로는 ①한 끼에 몰아 먹지 말고 아침·점심·저녁의 세 끼의 식사량을 고르게 한다. ②특히 저녁 때 과식하거나 밤참을 먹는 습관을 피한다. ③가능한 한 식사를 천천히 하고 책이나 TV를 보면서 식사하지 않는다. ④ 인스턴트 식품이나 과자를 적게 먹는다. 등이 있다.

▶ 질문

1. 위 글에 의하면 여성들의 자신의 몸에 대한 불만 중 가장 많은 불만은 무엇입니까?
2. 다이어트 방법 중 무조건 끼니를 거르는 것은 왜 좋지 않습니까?
3. 윗 글에 의하면 가장 효과적인 다이어트 방법은 무엇입니까?
4. 주말 운동은 왜 나쁩니까? 여러분의 생각은 어떻습니까?
5. 여러분의 다이어트 경험을 이야기해 보고 효과적인 방법이 있으면 함께 이야기해 봅시다.

▶ 단어 정리

· 가늘다 to be thin 細い
· 불만 dissatisfaction, unsatisfied 不満
· 과체중 over weight 太りすぎ
· 생활 수준 a standard of living 生活水準
· 채식주의자 vegetarian 菜食主義者
· 평생 lifelong 一生

· 효과적인 effective 効果的な
· 공복감 hungry feeling 空腹感
· 규칙적인 regular 規則的な
· 장기적으로 long-term, in the long run 長期的に
· 습관적으로 habitually 習慣的に
· 밤참 a late night snack 夜食

3

세계 문화 속의 한국 문화
The Korean Culture within the World Culture

세계의 장례 의식　Funerals of the World

1 한국의 장례 의식
Korean Funerals

사람은 누구나 태어나서 죽는다. 그러나 장례에 대한 생각 은 민족과 시대에 따라서 아주 다르다.

오래 전 **한국** 사람들은 원래 죽음을 그렇게 슬픈 것으로 생 각하지는 않았다. 죽음을 (1)사후 세계로 넘어가는 문으로 생 각하였기 때문이다. 그래서 그들은 장례를 지낼 때 밤새 시끄 럽게 떠들고 놀곤 하였다. 이러한 풍습은 (2)죽은 사람이 저승 에 가서 편안히 살 수 있도록 기원하는 의식이다.

하지만 유교가 한국에 들어온 후 장례 의식에 변화가 생겼 다. 사람이 죽으면 그 사람과 가장 가까운 사람이 지붕에 올 라가 죽은 사람의 옷을 들고 그 사람의 이름을 크게 세 번 부 르며 옷을 흔든다. 이는 죽은 사람의 (3)영혼이 육신으로 되돌 아오기를 바라는 의식이다.

이어 죽은 사람의 몸을 씻기고 그의 입 속에 쌀과 돈을 물 려주는데 이것은 저승에 가는 데 쓸 식량과 경비다. 새 옷을 입힌 시신을 죽은 사람이 주로 쓰던 물건들과 함께 관 속에 넣는다. 관을 묘지에 묻은 후, 죽은 사람의 가장 가까운 사람 이 2년이 넘게 4번의 제사를 더 드리면 장례 절차가 끝나게 된다.

▲ 영화「축제」(임권택 감독)

한편 조선 시대에는 부모가 돌아가시면 자식은 묘 옆에 움막을 짓고 3년 간 머무르는 것이 도리였다. 동방예의지국답게 돌아가신 부모를 잘 모셨던 자식들의 효심은 세계적으로 유명하였다.

▶ 질문

1. 한국의 장례 의식에 변화가 생긴 가장 큰 이유는 무엇입니까?
2. 죽은 사람의 입 속에 물려주는 쌀과 돈의 의미는 무엇입니까?
3. (1)의 사후 세계와 같은 의미의 단어를 찾아 쓰시오.
4. (2)의 죽은 사람과 같은 의미의 단어를 찾아 쓰시오.
5. (3)의 영혼과 반대 의미로 쓰인 단어를 찾아 쓰시오.
6. 현재 한국에서는 시신을 매장하는 것이 좋은지 아니면 화장하는 것이 좋은지에 대해 논의가 활발합니다. 여러분 나라의 실정은 어떠하며 여러분 자신은 어떤 것을 선택하겠는지 그리고 그 이유를 이야기해 봅시다.

▶ 단어 정리

· 장례식 funeral ceremony 葬式
· 사후세계 the realm after one's death 死後の世
· 의식 rite 儀式
· 제사 memorial service 祭祀
· 관 coffin 棺桶
· 묘지 burial ground, gravy-yard, cemetery お墓

· 움막 mud hut, dugout 穴蔵
· 도리 propriety, reason 道理
· 동방예의지국 polite country in the eastern
　　　　　　　(→ referring Korea by western countries
　　　　　　　in mid-age) 東方で礼儀のある国

2 세계의 다양한 장례 의식
Funerals of the World

옛바이킹(Viking)족은 사랑하던 가족이 죽으면 그 시신을 배에 싣고 짚으로 덮어 해가 지기 시작할 무렵, 바다 위에 띄워 보냈다. 그리고 나서 남자들이 해변에서 화살촉에 불을 붙인 후에 배를 겨눠 쏘았다. 그때 석양의 빛깔과 불에 타는 배의 빛깔이 같으면 그 죽은 사람은 바이킹의 천국에 간다고 믿었다.

티베트(Thibet)의 장족이라는 민족은 칼로 시체의 뼈와 살을 발라내고, 두개골은 망치로 부수어 모두 독수리에게 먹이로 준다. 독수리가 먹고 남은 뼈 조각은 전부 태워 재로 만들어 허공에 뿌림으로써 모든 장례의식이 끝난다.

한편, 1996년 4월 21일 북아프리카 해안 카나리아 제도 상공에는 관을 실은 **미국(USA)**의 우주선이 날아올랐다. 지구 상공 480km에 쏘아 올린 이 우주선에는 인류 최초로 치러질 뼛가루가 담겨진 볼펜 크기의 우주 장례용 미니관 24개가 탑재돼 있었다. 장례를 추진했던 회사는 희망자가 너무 많아 사업을 계속 확장해 나갈 계획이라고 밝혔다. 이로써 우주 속에서 장례식을 치르는 새로운 시대가 열린 것이다.

▲ 티베트족의 화장터

1. 옛 바이킹족의 장례에서 그들이 중요시하였던 요소는 무엇입니까?

2. 죽은 시신을 새의 먹이로 주는 민족은 누구입니까?

3. '시신'과 같은 의미의 단어를 찾아 쓰시오.

4. 우주 장례에 대해 어떻게 생각합니까? 자신의 가족이나 자신이 죽었을 때 이런 방법을 택하고 싶습니까? 그렇다면 왜 그러한지, 아니면 왜 그렇게 하고 싶지 않은지 이야기해 봅시다.

▶ 단어 정리

· 짚 rice straw 藁
· 화살촉 the head of arrow 矢じり
· 석양 the setting sun 夕日
· 발라내다 to tear off, rind 削ぎ取る
· 두개골 the cranium, skull 頭蓋骨
· 독수리 eagle クロハゲワシ

· 허공에 뿌림으로써 by scattering in the air 振り撒く
· 우주선 spaceship 宇宙船
· 제도 islands, archipelago 諸島
· 탑재 loading 搭載

1 한국의 온돌
Korea's Floor Heating System (Ondol)

온돌은 **한국**의 전통적 난방 시설을 말하며 '돌을 덥힌다'는 뜻이다. 다시 말해 아궁이에 불을 때서 방바닥 밑을 덥혀서 그 바닥 표면의 열이 인체에 직접 전달되도록 하거나, 또는 실내의 공기를 데우는 장치이다.

▲ 전통 난방 시설

온돌의 구조는 방바닥을 골이 지게 파서 그 위를 넓적한 얇은 돌로 덮는다. 그 위에 다시 찰흙을 고루 덮어 평평하게 하고, 한쪽에는 불을 때는 아궁이를 만들고, 반대쪽에는 굴뚝을 세운다. 그리고는 아궁이에 불을 때어 방 전체를 데운다. 불을 때는 아궁이는 취사도 할 수 있는 구조로 만들어져 있다. 주로 큰 무쇠 솥을 올려두어 밥을 짓거나 국을 끓인다.

온돌방은 추운 겨울철을 대비한 집 구조로서 취사와 난방을 겸할 수 있는 장점을 지니고 있어 한국 조상들의 지혜가 담겨진 공간이다.

온돌방의 개념은 서구식 주택 구조 속에서도 여전히 이용될 만큼 한국인에게는 중요한 생활 방식의 하나이다. 요즈음은 방바닥에 돌을 덮는 대신 보일러의 더운 물이 통과할 수

▲ 온돌방

있는 파이프를 깐다. 이런 방법으로 일반 주택이나 현대적인 아파트에서도 온돌식 난방 시스템을 사용하고 있다. 바닥의 넓은 면적이 집 전체의 공기를 덥히기 때문에 매우 효율적이다.

1. 이 글에서 묘사된 온돌의 구조를 그림으로 스케치해 보고 이야기해 봅시다.

2. 이 글에서 제시된 온돌의 두 가지 용도(장점)를 쓰시오.

3. '아궁이'의 기능을 설명해 봅시다.

4. 한국의 현대 주택에서는 어떤 방법으로 난방을 합니까?

5. 여러분 나라의 전통적인 난방 시설에 대해 소개하고 온돌과 비교해 봅시다.

▶ 단어 정리

· 아궁이 kitchen fireplace 焚き口
· 서구식 western style 西洋式
· 개념 general concept 概念
· 구조 structure 構造
· 찰흙 clay 粘土

· 굴뚝 chimney 煙突
· 취사 cooking 炊事
· 난방 heating 暖房
· 지혜 wisdom 知恵

2 다다미와 이글루
Tatami and Igloo

일본 주택은 지난 100년간 많이 변화했다. 하지만 지방에 가면 여전히 전통 주택을 많이 볼 수 있다. 그 전통 주택에서는 현관, 복도 및 부엌 바닥은 나무이지만, 그 외의 방들은 골풀로 엮은

▲ 다다미(일본)

자리를 깐 **다다미** 바닥이다. 골풀이 보온 역할을 하기 때문에 온돌처럼 따로 바닥을 가열하지는 않는다.

다다미는 볏짚을 엮은 바닥 부분의 위에 골풀(등심초)로 만든 거죽을 표면에 붙여 만드는데, 새 다다미는 이 골풀의 향기가 신선하다. 일본인들은 새 다다미의 향기나 피부에 닿는 감촉에서 신선함을 느끼며 행복감에 젖기도 한다. 오늘날 대부분의 주택이나 아파트는 나무나 카페트를 사용하고 있지만 방 하나 정도는 다다미방이다. 사람들은 집에 들어갈 때는 신발을 벗고 슬리퍼를 신으며, 다다미방에는 복도에서 슬리퍼를 벗고 들어간다. 다다미방은 집안의 공간이 작은 일본인들에게는 아주 실용적이며 밤에는 침실로, 낮에는 거실로 사용할 수 있다.

에스키모인(Inuit)들은 눈으로 만든 집인 이글루(Igloo)에서 산다. 이 이글루는 추위를 막고 집안의 온도를 유지하는 역할을 한다. 그러나 이것은 사실 그들이 살고 있는 여러 형태의 집들 중 하나에 불과하다. 이글루는 그 독특함으로 인해 우리들에게 흥미로움을 준다. 보통 장정 하나가 한 시간이면 완성할 수 있

▲ 에스키모인의 이글루

는데, 그 재료는 단단하게 뭉친 눈을 뼈, 상아, 철로 만든 칼로 잘라 만든 눈벽돌이다. 지붕 모양은 둥근 돔(dome) 형태이고, 입구는 어른 한 명이 기어서 간신히 들어갈 수 있을 정도로 좁고 길다. 그 안에는 나뭇가지(twigs)나 순록(caribou)의 가죽을 깔고 그 위에서 생활을 한다. 여름이 되어서 눈집이 녹으면 에스키모인들은 동물의 가죽으로 만든 텐트로 이사를 간다.

▶ 질문

1. 다다미의 구조에 대해 설명해 보시오.

2. 앞에서 나온 온돌과의 차이점을 말해 보시오.

3. 에스키모인들의 눈집은 안에 어떤 재료를 사용합니까?

4. 여러분은 어떤 난방 시스템을 이용하고 싶습니까? 온돌이나 다다미, 이글루, 그 외 좋아하는 방법을 택하여 자기만의 주거 공간을 상상하여 만들어 보고, 서로 이야기해 봅시다.

▶ 단어 정리

· 골풀   rush (a kind of plant)   い草
· 거죽   the surface, outside   表
· 감촉   the sense of touch, feeling   感触
· 신선함   freshness   新鮮さ
· 행복감   the feeling of happiness   幸福感
· 복도   hallway   廊下
· 실용적   practical   実用的

· 형태   form   形
· 독특   unique   独特
· 흥미로움   interest   興味
· 장정   grown man   元気な青年
· 상아   ivory   象牙
· 동물의 가죽   fur, leather   動物の皮

1 한국의 덕수궁
Deoksugung in Korea

▲ 대한문

궁 이란 원래 임금이 거처하는 곳을 말한다. 그러나 덕수궁의 경우는 처음부터 왕궁으로 계획되어 지어진 건물이 아니라 왕의 친척들이 살고 있던 곳이었다. 그러다가 임진왜란 당시 경복궁, 창덕궁, 창경궁 등 다른 궁궐들이 모두 불 타 버리자, 피난에서 돌아온 선조 임금이 이 곳에 거처를 정하게 되면서 궁궐의 모습을 갖추게 되었다

현재 18,635평의 면적에 달하는 덕수궁 궐내에는 다수의 건물들이 남아 있다. 우선 정문에 해당하는 대한문이 있고, 외전 건물인 중화문과 중화전이 있다. 특히 중화전은 왕의 즉위식과 신하들의 하례, 그리고 외국 사신의 접견 등 국가의 중요 행사가 거행되던 곳이니만큼 웅장하고 화려하게 지어졌다. 또한 내전 건물로는 함녕전, 즉조당, 준명당, 석어당이 있고 그 밖에 고종황제가 커피를 마시며 음악을 감상했던 정관헌, 집 안팎 공간을 구분 짓는 일각문 등이 남아 있다.

파란만장했던 역사의 현장인 덕수궁. 사적 124호로 지정된 덕수궁은 그러나 오늘날에 와서는 시민들의 문화 공간으로도 많은 사랑을 받고 있으며, 사람들이 가장 많이 찾는 도심 속 휴식처이기도 하다.

▲ 중화문

▲ 석조전

▲ 석어당

▶ 질문

1. 덕수궁이 어떻게 궁궐의 모습을 갖추게 되었는지 말해 보시오.

2. 국가의 중요 행사가 주로 행해지던 곳은 어디입니까?

3. 고종 황제가 커피를 마시며 음악을 감상하던 곳을 무엇이라고 합니까?

4. '역사의 중요한 사건이나 건물의 자취'의 뜻을 가진 단어를 찾아 쓰시오.

▶ 단어 정리

· 궁   palace   宮殿

· 거처하는(거처하다)   (honorific meaning of)
　　　　　to stay, live   住む

· 그러다가   after that   そうするうちに

· 임진왜란   Japanese invasion of Korea in 1592
　　　　　文禄の役

· 당시   at that time   当時

· 피난   refuge   避難

· 선조 임금   a king(14th) of Joseon dynasty
　　　　　朝鮮の14代目の王

· 갖추게 되다   to become   整えられている

· 면적   area, size   広さ

· 달하는   reaching to   達する

· 궐내   inside of the palace   宮中

· 다수의   many   多数の

· 외전 건물(↔내전 건물)   buildings for the
　　　　official event   外殿建物(↔内殿建物)

· 즉위식   coronation ceremony   即位式

· 하례   congratulatory ceremony   祝賀の礼式

· 사신   envoy   使節

· 접견   reception   接見

· 거행되다   to be performed   行われた

· 웅장하다   to be gigantic, magnificent   雄壮だ

· 함녕전(咸寧殿) 즉조당(即阼堂)
　준명당(浚明堂) 석어당(昔御堂)
　정관헌(静観軒)   the names of buildings
　　　　at Deoksugung   内殿建物の名称

· 고종(高宗)   a king(26th) of Joseon dynasty
　　　　朝鮮の26代目の王

· 구분짓다   to divide from   仕分ける

· 파란만장   very severe shaking which causes
　　　　many changes   波瀾万丈

· 사적   historical monument
　　　　(designated by government)   史跡

· 도심   the center of the town   都心

· 휴식처   resting place   憩いの場

2 인도의 타지마할
Tajimahar in India

'**타지마할**'이란 **인도**말로 궁전 중에서 가장 으뜸 가는 궁전이라는 뜻이다. 그러나 아그라 동쪽 야무나 강변에 자리하고 있는 타지마할은 사원이 아니라 무덤이다. 이 거대하고 신비로운 무덤이 건설된 것은 1631년의 일로, 무굴 제국의 왕 샤자한이 왕비 뭄타즈 마할의 죽음을 애도하기 위해 만든 것이다. 연 인원 2만 명을 동원하고 아시아와 유럽 등지에서 건축가들을 초청하여 시작한 이 공사는 22년 만인 1653년에 완성되었다.

타지마할은 가로 300미터, 세로 580미터의 부지에 붉은 사암으로 된 정문이 서 있고, 이 정문을 들어서면 높이 65미터, 한 변이 94미터인 좌우 대칭 돔이 우뚝 솟아 있다. 또한 타지마할 네 귀퉁이에는 높이 39미터의 첨탑이 있고, 돔 밑에는 황제와 황후의 관이 안치되어 있다.

한 여인을 위해 국가의 온 힘을 동원하고 자신의 정열까지도 모두 바쳤던 샤자한. 그는 자신의 무덤을 타지마할 반대편에 검은 대리석으로 만들어 양쪽 무덤을 구름처럼 다리를 놓으려는 계획을 세웠었다. 그러나 끊임없이 국력을 소비하는 아버지에게 불만을 품은 아들에 의해 그 계획은 좌절되고 말았다.

▲ 타지마할

▶ 질문

1. 타지마할은 어느 나라에 있습니까?

2. 타지마할은 몇 년 만에 완성이 되었습니까?

3. 첨탑의 높이는 몇 미터입니까?

4. 타지마할은 어떤 동기에서 만들어졌습니까?

5. 사랑하는 여인을 위해 국가의 모든 힘을 동원한 왕 샤자한에 대해 어떻게 생각합니까? 여러 가지 의견을 교환해 봅시다.

▶ 단어 정리

· 으뜸   the best, most   最上
· 동쪽   east direction   東側
· 강변   river basin   川岸
· 자리하고 있는   (be) located in   位置している
· 사원   temple   寺院
· 무덤   tomb   墓
· 거대   huge   巨大
· 신비로운   mysterious   神秘的な
· 건설된   (be) built   建設された
· 제국   empire   帝国
· 왕   king   王
· 왕비   Queen   王妃
· 애도   grief, sorrow   哀悼
· 인원   number   人員
· 동원   mobilization   動員
· 건축가   architect, builder   建築家
· 초청   invitation   招待
· 공사   construction   工事
· ~만인   as much as   ~振りである
· 완성   completion   完成
· 가로   horizontally   横
· 세로   vertically   縦

· 부지   site, plot   敷地
· 사암   sandstone   砂岩
· 대칭   symmetry   対称
· 돔   dome   ドーム
· 우뚝   high, aloft   にょきっと
· 솟아 있다   to be risen, towered   そびえている
· 귀퉁이   corner   角
· 첨탑   spire, steeple   尖塔
· 황제   emperor   皇帝
· 황후   empress   皇后
· 관   coffin   棺桶
· 안치   laying (a person's) body in state   安置
· 정열   passion, fervor, enthusiasm   情熱
· 대리석   marble   大理石
· 반대편   opposite side   反対側
· 양쪽   both sides   両側
· 끊임없이   endless   耐え間なく
· 국력   the national resources   国力
· 소비   consumption   消費
· 불만   discontent   不満
· ~을 품은   bearing ~ in one's mind   ~を抱いた
· 좌절   discouragement, frustration   挫折

3 프랑스의 베르사유 궁전
Versailles in France

파리를 중심으로 남서쪽에 위치한 **베르사유**. 왕실의 사냥 터였던 베르사유가 오늘날 그 화려한 명성을 차지하게 된 것은 바로 절대 권력을 상징하는 베르사유 궁전 때문이다.

베르사유 궁전의 기원은 1631년 루이 13세가 조그마한 수렵 용 성을 지은 데서 비롯된다. 그 후 루이 14세가 일개 대신이 자신의 성보다 화려한 성을 지은 것에 분개하여 그보다 더 나 은 성을 짓고자 1668년에 착공에 들어간다. 그러나 궁전은 1871년 보불 전쟁시 처참히 파괴되는데, 2차 세계 대전 이후 복구되어 오늘날의 모습을 갖추고 있다.

2층으로 되어 있는 베르사유 궁전 안에는 예배당, 비너스 방, 풍요의 방, 그리고 루이 16세와 마리 앙뚜와네트의 결혼 을 축하하기 위해 만든 오페라 방, 베르사유 평화조약을 맺었 던 거울의 방 등 여러 가지 다양한 이름의 방들이 있다. 그 중 가장 눈에 띄는 것은 거울의 방이다. 거울의 방에는 모두 17개의 창문이 있는데, 이는 루이 14세의 재위 기간을 나타내 는 것이다. 또한 400개의 거울이 방의 벽면을 장식하고 있음 도 특이하다 하겠다.

베르사유 궁전의 명성은 비단 여기서 그치는 게 아니다. 거 대한 인공 운하와 언덕, 좌우 화단과 20여 군데의 분수가 조 화를 이루고 있는 드넓은 정원은 당시 권력의 위세를 잘 반영 하고 있다.

▶ 질문

1. 베르사유는 파리를 중심으로 어느 쪽에 위치해 있습니까?

2. 베르사유 궁전의 기원은 언제라고 할 수 있습니까?

3. 궁전 안에는 여러 가지 방이 있는데, 그 중 가장 눈에 띄는 것은 무슨 방입니까?

4. '절대 권력'에 대해 설명해 봅시다.

▶ 단어 정리

- 중심으로 as a center 中心に
- 남서쪽 south-west direction 南西側
- 왕실 royal family 王室(=王家)
- 사냥터 hunting field 猟場
- 명성을 차지함 becoming to take a reputation
  名声を占めること
- 절대 권력 absolute power(authority) 絶対権力
- 상징 symbol 象徴
- 기원 origin 起源
- 조그마한 small 小さな
- 수렵용 for hunting 狩り用
- 성 castle 城
- 비롯된다 to begin from 始まる
- 일개 mere 一介
- 대신 minister of state 大臣
- 분개 indignation, resentment 憤慨
- 나은 better よい
- 짓고자 in order to build 造ろうと
- 착공에 들어간다 to start construction(work)
  着工を始める
- 보불 전쟁 a war between France and Prussia from
  1870 to 1871 フランスとプロシア間の戦争
- 처참히 파괴되다 to destroy wretchedly(totally)
  惨く破壊された

- 세계 대전 the world war 世界大戦
- 복구 restoration, recovery 復旧
- 예배당 chaple, place of worship 礼拝堂
- 비너스 Venus ビーナス
- 풍요 richness, abundance 豊かだ
- 평화 조약 peace agreement 平和条約
- 다양한 various, many different 多様な
- 눈에 띄다 to be caught sight of 目立つ
- 재위 기간 the period of one's rein 在位期間
- 벽면 the side of wall 壁面
- 장식 decoration 装飾
- 특이 unique 独特
- 비단 ~하는 게 아니라 not only ~, but also
  ただ ~ことでなく
- 인공 운하 artificial canal 人工運河
- 화단 flower garden 花壇
- 분수 fountain 噴水
- 조화 harmony, accord 調和
- 드넓은 spacious, extensive 広々とした
- 정원 garden 庭
- 권력의 위세 the power of authority
  権力の威勢
- 반영 reflection 反映

1 한국의 불국사
Bulguksa in Korea

▲ 석굴암

불국사는 8세기 중엽, 통일 신라 시대에 세운 한국의 대표적인 불교 건축물로서 1995년 12월에 유네스코 세계 문화 유산으로 지정되었다.

삼국유사에 의하면 김대성이라는 자가 이 불국사를 만들었다고 한다. 김대성은 머리가 크고 이마가 넓어 성(城)과 같이 생겼다고 하여 이름을 대성(大城)이라고 지었다. 홀어머니를 모시고 사는 그는 너무 가난하여 마을의 부자 복안이라는 사람 밑에서 머슴살이를 하였는데, 어느 날 복안이 스님에게 시주를 하는 것을 보고 자신도 시주를 할 것을 결심한다. 이후 김대성이 죽자, 그는 다시 재상 김문량의 집에 환생하는데 장성하여 이생의 부모를 위해서는 불국사를, 전생의 어머니를 위해서는 석굴사(석굴암)를 지었다고 한다.

이러한 전설을 갖고 있는 불국사로 들어가려면 먼저 일주문(一株門)을 통과해야 한다. 일주문이란 사찰로 들어가는 첫 문으로, 기둥이 한 줄인 일주문은 어느 편으로도 기울어지지 말라는 의미를 가지고 있다.

일주문을 지나면 조그마한 연못이 있는데, 이 연못 위에는 곡선 모양의 해탈교가 놓여 있다. 해탈은 불교의 깨달음을 의미하는 것으로, 이 다리를 건너서 해탈의 길로 나아가라는 뜻을 담고 있다.

그 밖에도 대웅전과 청운교, 백운교, 그리고 다보탑과 아사달과 아사녀의 전설이 깃들인 석가탑 역시 신라 사람들이 그린 부처의 세계라고 하겠다

▲ 불국사(경주)

1. 불국사는 언제, 어느 시대에 세워졌습니까?

2. 불국사는 언제 유네스코 세계 문화 유산으로 지정되었습니까?

3. 불국사는 누가 만들었습니까?

4. 불교의 깨달음을 의미하는 다리의 이름은 무엇입니까?

▶ 단어 정리

- 불국사 the name of Buddhist temple in Gyeongju, Korea 仏国寺
- 8세기 중엽 the middle of 8th century 8世紀の中期
- 통일 신라 시대 the period of Silla kingdom unified the other two kingdoms 統一新羅時代
- 유네스코 UNESCO(United Nations Educational, Scientific, and Cultural Organization) ユネスコ
- 불교 Buddhism 仏教
- 문화 유산 cultural heritage 文化遺産
- 지정 designation 指定
- 삼국유사 one of Korean history books 韓国歴史本の一つ
- 이마 forehead 額
- 성 castle 城
- 홀어머니를 모시다 to have(support) a mother who doesn't have her husband 独りになった母を支える
- 머슴살이 serving as a farmhand 使用人暮らし
- 스님 honorific of Buddhist priest お坊さん
- 시주 donating (especially to a Buddhist temple) 布施
- 결심 decision 決心
- 재상 prime minister 宰相(総理大臣)
- 환생 rebirth, reincarnation 転生
- 장성 grown-up, becoming maturity 成長
- 이생 this world (↔ 전생(previous life in Buddhism)) 今世↔前世

- 석굴사 the name of a temple in Gyeongju city Korea 石窟寺
- 전설 legend, myth 伝説
- 통과 passing, transit 通過
- 일주문 the name of the gate in Bulguksa 一株門(仏国寺にある門の名前)
- 사찰 Buddhist temple お寺
- 기둥 post of the building 柱
- 한 줄 single line 一線
- 어느 편 one side(team) どちら
- 기울어지다 to lean, incline 傾く
- 연못 (lotus) pond 池
- 곡선 모양 the appearance of curved line 曲線形
- 해탈(교) (Buddhist) emancipation 解脱
- 깨달음 enlightening 悟ること
- 나아가다 to enter or improve oneself spiritually 進む
- 대웅전 name of the building(전) in Bulguksa 大雄殿(仏国寺にある殿の一つ)
- 청운교, 백운교 name of the bridge(교) in Bulguksa 青雲橋, 白雲橋(仏国寺 にある橋の名称)
- 다보탑, 석가탑 name of the tower(탑) in Bulguksa 多宝塔, 釈迦塔(仏国寺にある塔の名称)
- ~의 전설이 깃들인 that has a legend of ～ の伝説が伝わっている
- 부처 Buddha 仏様

2 호주의 오페라 하우스
Opera House in Australia

세계적으로 이름이 널리 알려진 건축물은 열 손가락을 셀 정도이다. 그 중 **시드니**의 **'오페라 하우스'**는 명성이 뛰어난 건축물로서, 시드니를 친숙하게 만드는 상징으로 자리잡았다.

잘린 오렌지 조각에서 그 디자인이 유래되었다는 시드니 항구의 오페라 하우스는 1973년, 14년 간의 긴 공사를 끝내고 첫 모습을 드러냈다. 오페라 하우스가 완성되기 전 이 건축물이 흰 코끼리에 지나지 않을 것이라 믿었던 사람들은 거대한 조개를 엎어놓은 듯한 외형의 기하학적 아름다움에 놀라움을 금하지 못했다.

오페라 하우스는 모두 5개의 웅장한 강당과 연주회장, 가극장, 연극장 등 부설되어 있는 방도 천여 개에 이른다. 그 중 가장 큰 콘서트 홀은 2,700명의 관객을 한꺼번에 수용할 수 있으며, 1,600명의 관객을 수용하는 오페라 극장 또한 유명하다.

▲ 오페라 하우스(시드니)

1년 내내 오페라나 클래식 콘서트가 열리고 있는 오페라 하우스는 음악 애호가들의 사랑을 독차지하고 있다. 또한 이뿐만 아니라 그 용도에 있어서도 일반인들의 상상을 초월해 발레나 클래식, 팝, 재즈, 영화, 전시회 등 갖가지 문화 행사가 열리기도 한다.

▶ 질문

1. 오페라 하우스의 디자인은 어디에서 유래가 되었습니까?

2. 오페라 하우스 내의 가장 큰 콘서트 홀은 모두 몇 명의 인원까지 수용할 수 있습니까?

3. 다음 중 오페라 하우스의 다양한 용도를 말해 보시오.

4. 여러분 나라의 유명한 건축물에 대해 소개해 보시오.

▶ 단어 정리

· 널리 알려지다 to be known widely
　　　　　広く知られている
· 건축물 building, structure 建築物
· 친숙하게 intimately 親しく
· 조각 sculpture 彫刻
· 디자인 design デザイン
· 유래 origin, reason 由来
· 항구 harbor 港
· 드러냈다 to show up 表わした
· 조개 shell 貝
· *엎어 놓은 듯한 외형 external shape that seems
　　　　to be flipped over 伏せて置いたような形
· 기하학적 geometric 幾何学的
· 웅장한 magnificent, grand, grandeur 雄壮な
· *놀라움을 금하지 못했다 could not stop being
　　　　surprised たいへん驚いた
　　　　(驚きを禁ずる事ができなかった)

· 강당 (lecture) hall 講堂
· 연주회장 concert(recital) hall 演奏会場
· 가극장 lyric drama hall 歌劇場
· 연극장 drama(play) hall 演劇場
· 부설 attachment, annexation 附属
· 수용 accommodation 収容
· 한꺼번에 at one time, at the same time
　　　　いっぺんに
· 애호가 devotee, dilettante 愛好家
· 독차지 exclusive possession 一人占め
· 용도 use 用途
· 일반인 normal people 一般人
· 상상을 초월 unimaginable
　　　　想像を超える
· 전시회 exhibition 展示会
· 갖가지 various 様々な
· 행사 ceremony 行事

3 그리스의 파르테논 신전
Parthenon in Greece

▲ 파르테논 신전

아테네(Athens)는 로마와 함께 서양에서 가장 대표적인 고대 유적 도시이다. 또한 아테네 도시 중심에 높다랗게 솟아 있는 **파르테논 신전**과 그 아래 아크로폴리스는 그리스 문명뿐만 아니라 서양 문명의 대표적 문화재이기도 하다.

'높은 도시 국가'라는 뜻을 가지고 있는 아크로폴리스. 아테네 일반 시민들의 거주 지역과 구분한 신성한 지역인 아크로폴리스에는 기원전 5세기에 지어진 여러 신전들을 볼 수 있다. 그 중에서 최대의 것은 바로 도리아 양식으로 세워진 파르테논 신전이다.

파르테논 신전은 기원전 432년에 만들어졌는데, 아테네의 수호신이며 지혜의 여신인 '아테네'의 신전으로서 이후 2500년 동안 유럽 건축 역사의 모델이 되어 왔다. 신전 지붕에는 제우스의 머리를 대장장이 신인 불칸이 도끼로 내리쳐 아테네 여신이 탄생하는 장면과 아테네 여신과 바다의 신 포세이돈이 아테네의 소유권을 놓고 논쟁을 하는 모습이 조각되어 있다.

한때는 기독교 교회로 쓰이기도 하고, 또 한때는 이슬람교의 사원으로 쓰였던 이 파르테논 신전은 르네상스 때는 베니스와 터키의 싸움터로, 그 이후에는 그리스와 터키의 싸움터가 되어 파괴되었다. 이러한 슬픈 역사를 지닌 파르테논 신전은 지금은 아테네의 산성비로, 자동차의 배기 가스에 의해 침식되어 가고 있다.

1. '높은 도시 국가'의 뜻을 가진 것은 무엇입니까?

2. 파르테논 신전은 어떤 양식으로 만들어졌습니까?

3. 파르테논 신전의 용도는 무엇입니까?

4. 파르테논 신전의 역사를 '슬픈 역사'라고 묘사합니다. 왜 그러한지 이야기해 보시오

단어 정리

- 가장 대표적인 most representative(famous)
   一番代表的な
- 고대 ancient times 古代
- 유적 historical monuments, ruins 遺跡
- 높다랗게 highly 非常に高く
- 신전 shrine, sanctuary 神殿
- 문화재 cultural assets (properties) 文化財
- 거주 지역 resident (dwelling) area 居住地域
- 신성한 지역 deity, holy area 神聖な地域
- 기원전 before (the birth of) christ 紀元前
- 도리아 양식 Doric style(type) ドリック式
- 수호신 guardian god 守護神
- 대장장이 smith, blacksmith 鍛冶屋

- 도끼 axe, hatchet 斧
- 내려치다 to strike or to beat down 切り落とす
- 탄생하는 장면 scene of having a birth
   誕生する場面
- 소유권 right of possession 所有権
- 논쟁 disputation 論争
- 르네상스 Renaissance ルネッサンス
- 싸움터 battlefield 戦場
- 파괴 destruction, demolition 破壊
- 산성비 acid rain 酸性雨
- 배기 가스 exhaust gas from the vehicles 排気ガス
- 침식 erosion 浸食

1 한국의 막걸리
Makgeolli in Korea

막걸리는 쌀과 누룩으로 만든 한국의 대표적인 전통 술이다. 이 술은 곡주를 막 걸러 내어 만들었다. 그래서 막걸리라고 한다. 술이 지금처럼 공장에서 대량 생산되기 전에는 집집마다 술 만드는 방법이 달랐다. 막걸리는 찹쌀, 보리, 밀가루, 감자 등이 주원료이다. 좋은 막걸리는 달고, 시고, 쓰고, 떫은 네 가지 맛이 잘 어울려야 한다.

보통 알콜 도수가 높은 술을 마시게 되면 곧 취하게 되고 부담을 많이 주게 된다. 그런데 한국의 전통 민속주 막걸리는 순수한 미생물에 의해서 자연 발효시킨 자연 식품이다, 그래서 술이면서도 사람에게 유용한 성분이 함유된 식품이다. 막걸리에는 일반 술과는 달리 상당량의 단백질과 당질, 비타민, 생효모, 그리고 필수 아미노산 등이 함유되어 있다.

또한 막걸리 한 잔을 들이키면 요기가 되며 흥도 나고 기운도 돋우어 준다. 그래서 일을 수월하게 만드는 막걸리는 농주라고도 불리어지고 있다. 막걸리는 한국의 여러 술 중 역사가 가장 오래 되었고 보통 사람들이 소박하게 즐기는 술이다.

1. 막걸리의 주원료는 무엇입니까?

2. '막걸리'라는 이름은 어떻게 해서 붙었습니까?

3. 막걸리는 주로 어떤 사람들이 즐겨 마시는 술입니까?

4. 다음 밑줄 친 문장을 보기와 같이 바꾸시오.

   보기 : 막 걸러 내어 만들었다. 그래서 막걸리라고 한다.

   ⇒ 막 걸러 내어 만들었다고 해서 막걸리라고 한다.

   ① 부엉이는 부엉부엉 운다. 그래서 부엉이라고 한다.

   ② 개구리는 개굴개굴 운다. 그래서 개구리라고 한다.

   ③ 프랭크는 지각을 잘한다. 그래서 모두 지각 대장이라고 부른다.

   ④ 주리는 예쁘다. 그래서 친구들이 예쁜이라고 부른다.

5. 여러분 나라의 대표적인 전통 술은 무엇입니까?

▶ 단어 정리

· 누룩   malt   麴
· 찹쌀   sticky rice   もち米
· 전통   tradition   伝統
· 발효   fermentation   醱酵
· 걸러 내다   to filter out   濾す
· 보리   barley   麦
· 대량 생산   mass production   大量生産
· 소박하다   to be plain   地味だ
· 주원료   the main material   主原料
· 곡주   liquor made from grains   穀物で作った酒
· 대표적인   representative   代表的
· 떫은   astringent(puckery) in taste   渋い
· 맛   taste   味
· 취하다   (to get) drunk, to get drunk   酔っぱらう
· 부담   a burden   負担
· 민속주   traditional liquor   民俗酒
· 미생물   microorganism, microscopic organism
           微生物

· 당질   saccharinity   糖質
· 비타민   vitamin   ビタミン
· 생효모   live leaven   生酵母
· 필수 아미노산   essential amino acids
           必須アミノ酸
· 함유   containing   含有
· 요기가 되다   to relieve hunger   食事がわりになる
· 흥이나다   to have fun, pleasure   心が踊る
· 기운   power   元気
· 수월(하다)   (to be) easy, (to be) not trouble to do
           容易だ
· 농주   liquor from grain
           農酒 : 農事の時に飲むお酒
· 즐기는   enjoying   楽しむ
· 감자   potatoes   ジャガ芋

② 멕시코, 프랑스, 몽골의 술
Mexican, French, and Mongolian Alcohols

▲ 테킬라의 원료 선인장

멕시코의 대표적인 술인 **테킬라**는 마을의 이름에서 전래되었는데, 수분이 많고 잎이 넓은 식물인 마게이 (용설란)로 만든 술이다. 이 술은 1968년 멕시코 올림픽 때 전 세계적으로 알려졌지만, 미국의 유명한 가수 롤링 스톤즈가 멕시코 공연 때 테킬라에 반해서 그 후로는 세계 각지 가는 곳마다 이 술을 퍼뜨렸다는 일화가 있다. 테킬라를 맛있게 마시는 방법은 특이하다. 레몬이나 과일을 반으로 잘라 왼손으로 한쪽을 잡고 엄지와 검지의 손등 중간에 소금을 올려놓는다. 그리고 혀로 레몬즙과 소금을 묻힌 다음 테킬라를 마신다.

프랑스의 **와인**은 품질과 생산량에 있어서 세계 제일이다. 포도는 프랑스 전국 대부분의 지역에서 생산된다. 산지에 따라 맛과 품질이 다르고 포도주 또한 산지마다 품질이 독특하다. 보통 생선 요리에는 백포도주, 고기 요리에는 적포도주를 마시는 것으로 알려져 있다.

몽골의 대표적인 술은 **마유주**이다. 마유주는 말의 젖을 발효시켜 만든 것이다. 말젖을 부대에 넣고 저으면 처음에는 맛이 달다. 그러나 차츰 거품이 나오다가 산이 나오면서 발효된다. 계속 저어서 2~3일 후면 신맛이 나는 술이 된다. 그들은 손님이 오면 마유주를 대접한다. 그런데 이때 마유주를 전부 마시지 못하고 남기면 실례가 된다.

▲ 프랑스 보르도 포도밭

▶ 질문

1. '테킬라' 라는 이름은 어떻게 해서 생겼습니까?

2. 테킬라를 맛있게 마시는 방법은 무엇입니까?

3. 다음 주어진 단어를 이용하여 보기와 같이 짧은 문장을 만드시오.

   보기 : 산지마다 ⇒ 산지마다 품질이 독특하다.

   집집마다 ⇒

   마을마다 ⇒

   사람마다 ⇒

   나라마다 ⇒

4. 와인과 마유주는 각각 무엇으로 만듭니까?

5. 다음 요리에 적당한 포도주를 말해 봅시다.

   ① 안심 스테이크   ② 연어구이

6. 한국의 술을 마시는 예절에 대해 조사해 봅시다. 또 여러분의 나라는 어떠합
   니까?

▶ 단어 정리

- 전래   handing-down   伝来
- 핥다   to lick   （舌で）なめる
- 특이, 독특   unique   独特
- 대표적   representative   代表的
- 각지   every place   各地
- 레몬즙   lemon juice   レモン汁
- 생산   producing   生産
- 산지   place of production   産地
- 신맛   sour taste   酸っぱい味
- 생산량   quantity of production   生産量
- 넣다   to insert, put in   入れる
- 데우다   to warm up   暖める
- 차츰   gradually   次第に
- 달다   to be sweet   甘い
- 품질   quality   品質
- 대부분   most parts   大部分
- 거품   bubble   泡
- 젓다   to stir   混ぜる
- 산   acid   酸
- 대접하다   to treat or to give hospitality   御馳走する
- 남기다   to leave   残す
- 수분   moisture   水分
- 잎   leaf (of a tree)   葉っぱ
- 넓은   wide   広い
- 공연   performance   公演
- 일화   anecdote   逸話
- 엄지   thumb finger   親指
- 검지   index finger   人指し指
- 혀   tongue   舌
- 소금   salt   塩
- 말의 젖   milk of the horse   馬の乳
- 발효   fermentation   発酵
- 부대   bag, sack   袋
- 실례   discourtesy, impoliteness   失礼
- 손님   a guest, visitor   客

1 한국의 김치
Korea's Kimchi

▲ 김치

한국은 사계절이 뚜렷하다. 그래서 계절에 맞는 김치를 만들어 먹는다. 여름에는 맛이 담백하면서 재료의 사용도 단순하다. 겨울에는 재료가 다양하다. 봄에는 햇배추나 미나리, 여름에는 열무나 오이, 가을에는 고추나 깻잎, 겨울에는 주로 배추와 무를 이용하여 다양한 종류의 김치를 만든다. 김치 종류는 약 100여 종에 달한다. 김치는 한국인에게 있어서 없어서는 안 될 가장 중요한 음식이다. 맛과 영양, 저장성 등을 갖춘 대표적인 한국 음식이다.

요즘은 식구가 적고 집 밖에서 밥을 먹는 경우가 많아졌다. 그래서 가정에서의 김치 소비량이 전보다 훨씬 줄어들었다. 그러나 식구가 많았던 옛날에는 겨울이 다가오면 한 가정에서 100포기, 200포기씩 김치를 만들었다. 한국의 겨울은 매우 춥고 약 4개월 간 계속된다. 이렇게 긴 기간을 영양 결핍이 없이 지내기 위해서 김치를 만들었다.

이와 같이 많은 양의 김치를 만드는 것을 김장이라고 한다. 이 김장은 일년 중 대단히 중요한 집안의 연례 행사였다. 그

래서 가까이 사는 친척, 이웃들이 모여서 한 집씩 돌아가며 힘든 이 일을 같이 하였다. 이 일은 하루 종일 걸리는 힘든 일이어서 김장 주인은 이들에게 점심 식사를 맛있게 대접하였다.

김치의 맛과 영양은 요즘 세계 시장에서 널리 알려지고 있다. 그래서 외국의 식품점

에서도 김치를 찾아보기가 그리 어렵지 않게 되었다. 요즈음은 김치 관광이란 말이 생길 정도로 많은 외국인들이 김치를 찾고 있다.

▶ 질문

1. 한국은 계절에 맞는 김치를 만들어 먹는데 겨울에는 주로 무엇으로 김치를 만들어 먹습니까?
2. 요즘은 가정에서의 김치 소비량이 많이 줄어 들었습니다. 그 이유는 무엇입니까?
3. 겨울에 많은 양의 김치를 만드는 것을 뭐라고 합니까?
4. 여러분 나라에는 소개하고 싶은 발효 식품이 있습니까? 서로 이야기해 봅시다.
5. 김치 담그는 방법을 조사하여 순서대로 써 봅시다. 그리고 재료를 구하여 같이 만들어 봅시다.

▶ 단어 정리

· 사계절 four seasons 四季
· 뚜렷하다 to be clear, distinct, obvious はっきりしている
· 담백하다 to be light, plain (of taste → positive meaning) 淡白だ
· 단순하다 to be simple 単純だ
· 다양하다 to be various 多様だ
· 달한다 to reach, to come to 達する
· 영양 nutrition 栄養
· 저장성 preservation for a long time 保存性
· 요즘에는 these days この頃は
· 식구 family 家族
· 집 밖에서 out of home 家の外で
· 소비량 amount of consumption 消費量

· 전보다 훨씬 much more than before 前よりずっと
· 줄어들다 to diminish, dwindle away, decrease, reduce, become smaller, get less 減る
· 다가오다 to reach, come near 近づく
· 결핍 lack, shortage 欠乏
· 이와 같이 like this このように
· 연례 행사 annual events 恒例行事
· 하루 종일 all day long 一日中
· 대접하다 to treat (food), give(show) hospitality (食事などの)ごちそうする
· 김장 김치 Kimchi that prepared for the winter (立冬前後に行われる冬超え用の) キムチの漬け込み

2 이탈리아의 파스타
Italy's Pasta

파스타는 밀가루 반죽이라는 뜻이다. 피자와 함께 파스타는 이탈리아를 대표하는 음식이다. 파스타는 기원전 3000년경에 중국에서 처음 만들어지고, 1295년 마르코 폴로가 이탈리아에 소개했다고 알려져 있다. 그러나 로마 시대에 벌써 파스타를 만들어 먹었다는 등 여러 가지 주장이 있다.

파스타의 모양에는 긴 국수 모양을 비롯해 리본, 끈, 조개, 바퀴 모양 등 여러 가지가 있다. 이탈리아에는 파스타 디자이너도 있어서 1년에 한 번씩 모여서 발표회를 한다. 파스타는 시금치, 당근

▲ 야채 스파게티

즙, 토마토, 달걀노른자, 오징어 먹물 등을 넣어 색을 만든다. 파스타의 종류를 몇 가지 알아보자.

· 볼로네즈(bolognase): 다진 고기를 토마토 퓨레와 조리한 소스. 미트소스 스파게티를 가리킨다. 이탈리아 볼로냐 지방에서 처음 만들어졌기 때문에 이 이름이 붙었다.

· 봉고레(vongole): 봉고레는 이탈리아 말로 조개를 뜻한다.

· 카르보나라(carbonara): 식으면 느끼하기 때문에 뜨거울 때 먹는다.

· 페스카토레(pescatore): 페스카토레는 이탈리아 말로 어부라는 뜻이다. 즉 어부가 바다에서 잡은 새우, 오징어 등을 넣고 만든 해산물 스파게티이다.

· 프리마베라(primavera): 당근, 브로콜리, 버섯, 붉은 피망 등의 야채로 만든 크림 같은 소스. 프리마베라는 이탈리아 말로 봄을 뜻한다.

1. 파스타의 뜻은 무엇입니까?

2. 파스타를 이탈리아에 소개했다고 알려져 있는 사람은 누구입니까?

3. 파스타의 모양에는 어떤 것이 있습니까?

4. 파스타의 색을 만들 때 사용하는 재료는 무엇입니까?

5. 이탈리아 볼로냐 지방에서 처음 만들어졌기 때문에 이 이름이 붙은 파스타는 무엇입니까?

▶ 단어 정리

- 파스타 pasta パスタ
- 반죽 dough, kneading 練り粉
- 마르코 폴로 Marco Polo (1254-1324)
  マルコ・ポーロ
- 로마 시대 the age(period) of Rome ローマ時代
- 국수 noodle そば
- 비롯해 including, as well as はじめ
- 발표회 presentation, conference 発表会
- 달걀노른자 the yolk of an egg (卵の)黄身
- 오징어 먹물 inky water from squid いかの墨
- 다진고기 mincing(hashing, chopping up) meat
  ミンチ肉

- 토마토 퓨레 tomato pure
  トマト ビューレ
- 조리한 cooking 調理した
- 미트소스 meat source ミートソース
- 가리킨다 to indicate, refer to 指す
- 지방 locality, district, region 地方
- 식으면 after(once, if) it gets cool 冷めたら
- 느끼하다 be to greasy(rich) 油っこい
- 어부 fisherman 漁師
- 해산물 seafood 海産物

정치와
경제, 그리고 교육

Politics, Economy and
Education

4

1 '아테네 시대' 다시 열린다
Era of Athens Starts Again.

2천 5백여 년 전의 고대 아테네(Athens)는 서구 민주주의 문화의 원류였다. 그것은 시민 모두가 한 장소에 모여 국정에 직접 참여할 수 있는 형태였기에 가능했다. 하지만 인구가 늘고, 활동 지역이 넓어지고, 권력 구조에도 변화가 생기자 사람들 모두가 직접적으로 서로 의견을 주고받을 수 있는 시대가 사라져 갔다. 그와 더불어 누구나 미디어의 주체가 될 수 있었던 대중적 인터랙티브의 시대도 사라질 수밖에 없었다. 아테네 이후 지난 2천 5백여 년간 그 누구도, 어떤 것도 이 대중적 인터랙티브의 시대를 우리 앞에 완벽히 다시 불러들이지 못했다.

그러다 몇십 년 전 텔레비전이 등장했고, 비로소 다시 여러 사람에게 동시에 같은 메시지를 전달할 수 있는 시대가 다시 왔다. 그러나 텔레비전은 반쪽짜리 인터랙티브밖에 구현해 내지 못했다. 미디어의 주체는 소수이며, 일방적이다. 아프리카의 어린이와 에스키모 노인이 동시에 같은 메시지와 즐거움을 전달받을 수는 있어도, 그 메시지에 대한 즉각적 의견의 교환도, 즐거움도 동시에 공유할 수는 없다. 여기까지가 텔레비전의 한계다. 아테네 시대처럼 되는 것은 불가능해 보였다.

그러나 이제 '아테네'가 다시 오고 있다. 누구나 미디어의 주체가 되어 동일 공간에서 동일 순간을 공유하며 그 속에서 정치·경제·사회·문화가 교감하던 아테네 시대가 다시 오고 있다. 한쪽에서 일방적으로 메시지를 전달하던 2천 5백여 년이 마감되고, 완전한 대중적 인터랙티브의 시대가, 그 옛날 올림피아에서 아테네인들 앞에 펼쳐졌듯, 우리 앞에 다시 열리려 하고

▲ 아크로폴리스와 주변 지역

있다. 그 주역은 바로 인터넷이다.

　　세계 각국의 사람들은 마치 아테네의 아크로폴리스에 아카이아인들이 모여 인터랙티브하게 정보와 의견을 주고받아 그들만의 사회 구조를 만들어 가던 그 시절처럼, 사이버 공간에 전 세계인이 모여들고 스스로들 미디어의 주체가 되어 저마다 목소리를 내고 상대방의 목소리를 듣고 있다. 이제 2천 5백년만에 '디지털 아크로폴리스'에서 '디지털 아테네'가 다시 열리고 있는 것이다.

▶ 질문

1. 고대 아테네의 직접 민주주의를 위 글에서 설명해 보시오.
2. 텔레비전이 아테네 시대의 민주주의를 성장하게 하지 못한 이유는 무엇입니까?
3. 현대사회에서 고대 아테네 시대의 직접 민주주의가 가능할 수 있는 근거는 무엇입니까?
4. 디지털 아크로폴리스와 디지털 아테네가 의미하는 바를 말해 보시오.
5. 컴퓨터와 인터넷의 발달이 민주주의에 어떻게 기여할 수 있는지 여러분의 의견을 말해 봅시다.

▶ 단어 정리

· 고대　ancient　古代
· 서구　western (culture)　欧米
· 원류　origin　源流
· 국정　national administration　国政
· 참여　participation　参加
· 권력 구조　power structure　権力構造
· 미디어　media communication　メディア
· 주체　the nucleus　主体
· 동시에　at the same time　同時に
· 인터랙티브　interactive　インタラクティブ

· 완벽히　perfectly　完璧に
· 구현하다　to realize(incarnate)　確信する
· 소수　minority(small number)　少数
· 일방적　one-way　一方的
· 교환　exchange　交換
· 공유　sharing　共有
· 동일 공간　the same space　同一空間
· 순간　a moment　瞬間
· 교감　mutual sympathy　共感
· 마감되다　to end　締め切られる

2 사이버 정치 시대
Politics of the Cyberworld

정보 통신 기술의 발달과 더불어 지식과 정보가 전달되고 활용되는 통로가 매우 다양해졌다. 이는 네티즌(Netizen) 혹은 N세대(N-generation)라는 신조어를 탄생시켰으며, 이들의 '공론의 장'은 국내는 물론 세계로 확대되어 정치환경의 급변을 초래하였다. 인터넷, PC통신 등 가상 공간에서 이루어지는 사이버 정치의 시대가 도래하게 된 것이다.

권위적이며 일방 통행적인 커뮤니케이션에서 벗어나 모든 네티즌이 자유롭고 평등한 입장에서 서로 의사를 소통하는 쌍방향 커뮤니케이션을 특징으로 하는 인터넷은 선거 과정을 혁명적으로 변화시키고 있다. 과거 전통적인 선거 방식이었던 거리 유세, 유인물 배포 등의 틀을 깨고 인터넷을 이용해 적은 비용으로 정치인과 유권자 사이에 상호 의사 교류가 쉽게 이루어지는 쌍방향성(interactivity) 참여 민주주의로 바뀌고 있는 것이다.

한국에서는 '전자 민주주의(Emocracy)'라는 신조어가 나올 만큼 사이버 공간이 정치 활동의 주무대로 떠오르고 있다. 인터넷상에서는 만 19세 이상이면 누구나 정치에 참여할 수 있으며, 만 25세 이상 네티즌들은 국회 의원에 출마할 수 있는 '사이버 국회'가 개설되었다. 또한 2000년 4월 국회 의원 총선거를 앞두고 인터넷이나 PC통신을 통해 시민 단체들은 인터넷 홈페이지를 개설해 부적격 총선 출마자들에 대한 정보를 쏟아내고 있는 등, 이른바 전자 선거(e-election) 시대가 열린 것이다.

이처럼 인터넷이 정치 행위자들에게 저렴한 가격으로 시간과 거리에 무관하게 정보를 보급할 수 있게 해 주는 독자적이고 완전히 새로운 인류의 세계적 커뮤니케이션 매체로 등장한 것은 사실이다. 그러나 아직까지는 인터넷이 진정한 민주정치를 가능하게 할 것인지에 대해서는 미지수이다. 우리는 미디어 기술의 정치적 이용과 그 결과가 지니는 양면성 또는 가변

성을 인식하면서 여러 가지 가능한 미래에 대해 선택적인 기대를 할 뿐이다.

질문

1. 이 글에서 '공론의 장'은 어디를 가리키는지 본문에서 찾아 써 봅시다.
2. 다음 문장이 참(True)인지 거짓(False)인지 말해 봅시다.
   ① 인터넷의 보급으로 사이버 정치 시대가 도래하였다.
   ② 인터넷을 통한 사이버 전쟁이 실전으로 이어지고 있다.
   ③ 인터넷을 통해 부적격 정치인에 대한 기사를 싣고 있다.
   ④ 인터넷 선거전을 통해 선거 자금과 자원 봉사자를 모집하는 것도 가능해졌다.
3. 인터넷이 정치에 어떠한 영향을 미쳤는지에 대해 토론해 봅시다.
4. '전자 민주주의'와 고대 아테네의 '직접 민주주의'를 비교해 봅시다.

단어 정리

- 정보 통신 information communication 情報通信
- 신조어 newly-coined word 新造語
- 공론의 장 place of public opinion 公論の場
- 도래 advent 到来
- 일방통행적 one-way 一方通行的
- 자유 free 自由
- 평등 equality 平等
- 입장 situation 立場
- 의사 one's idea(thought) 意思
- 쌍방향 interactive 相互的
- 거리 유세 street campaigning tour 町での遊説

- 배포 distribution 配布
- 틀을 깨다 to brake a fixed idea 型を壊す
- 유권자 voter 有権者
- 상호 의사 교류 mutual exchange of one's idea 相互意思交流
- 참여 participation 参加
- 국회의원 congressmen 国会議員
- 총선 출마자 candidacy for the national election 総選挙出馬者
- 미지수 unknown (quantity) 未知数
- 양면성 two-pronged characteristic 両面性
- 가변성 variability, changeability 可変性

3 시민 권력
Civil Rights

민주주의는 지난 천 년간 인류 역사의 가장 커다란 성취 중의 하나지만 아직 미완의 과제다. 특히 근대 정치의 주요한 성과라 할 수 있는 대의민주주의는 의사 결정의 권리를 다른 사람에게 양도·위임할 수밖에 없기 때문에 시민들의 의사가 왜곡되거나 자율성이 침해되기도 했다.

21세기 민주주의의 미래는 현재로선 낙관할 수 없다. 무엇보다 정치 제도 자체에 내장된 관료제와 권위주의화 경향은 미래 민주주의에서도 취약점이 될 것이다. 또한 환경 파괴, 시민에 대한 감시 체제, 핵전쟁 위협 등 근대의 불유쾌한 결과들이 민주주의를 위협할 것으로 예상된다. 이런 상황에서 참여를 통한 시민 권력 형성은 이 같은 민주주의 위기를 극복하기 위한 정치적 전략의 중핵이 될 것이다.

무엇보다 시민들의 자발적인 참여로 형성되는 새로운 시민 단체는 시민 권력의 초석(礎石)이라 할 수 있다. 이 같은 비정부조직(NGO)의 연대·강화를 통해 정치·경제 권력에 효과적으로 대응할 수 있으며, 이미 정보 사회의 도래와 함께 네트워크를 통한 시민 운동은 시민 권력의 새로운 현상으로 지목되고 있다. 게다가 그린피스나 국제사면위원회 등 다양한 이슈들에 대한 전(全)지구적 시민 행동 네트워크(Network)의 구축은 이른바 '글로벌 민주주의'의 기수로 평가할 수 있다.

현재 세계 질서는 금융 자본의 팽창, 국제 이민의 물결, 민족 갈등의 폭발 등 감당하기 어려운 혼란의 세계로 나가고 있다. 이러한 시기에 시민참여 민주주의는 동요하는 세계 질서에 대해 적극적으로 요청되는 전략이기도 하다. 시민참여 민주주의의

▲ 국회 의원 낙선 운동

이상(理想)은 고대 그리스의 '아고라', 곧 자발적 정치 참여가 이루어지는 광장의 부활이며, 진정한 민주주의는 다수결 원칙의 절차가 제도화되는 것 이상을 의미한다.

▶ 질문

1. 민주주의를 위협하는 요소는 무엇입니까?
2. 민주주의의 위기를 극복하기 위한 방안은 무엇입니까?
3. 시민 참여 민주주의의 이상은 무엇입니까?
4. 다수결의 원칙이 왜 민주주의의 이상을 구현할 수 없는지 토론해 봅시다.
5. 비정부 조직이 하는 역할에 대해 이야기해 봅시다.

▶ 단어 정리

- 미완   not completed   未解決
- 대의   representation   代議
- 양도하다   to hand over   讓渡する
- 위임하다   to entrust   委任する
- 왜곡되다   to distort   歪曲される
- 자율성   autonomy   自律性
- 침해되다   to be infringed   侵害される
- 무엇보다   above all   何よりも
- 내장된   built-in   内蔵された
- 위협   threat, menace   威脅
- 위기   crisis   危機

- 극복하다   to overcome   克服する
- 전략   strategy   戰略
- 중핵   core   中核
- 강화   reinforcement   強化
- 갈등   conflict   葛藤
- 감당   being capable of performing
              十分になしおえること
- 동요하다   to agitate   動搖する
- 자발적   voluntary   自發的
- 다수결 원칙   majoritarian principle   多數議決制

1 한국의 경제
Korea's Economy

한국 전쟁 이후 회생이 불가능해 보이는, 파괴된 경제 상황에서 한국은 기적적인 급속한 성장을 이룩했다. 외채를 이용한 건설 및 기간 산업 투자와 수출 위주의 산업 구조를 통해 경제 발전의 기틀을 마련했다. 또한 교육받은 고급 노동력을 통해 세계 경쟁력을 확보해 갔다. 특히 자동차, 선박, 반도체를 비롯한 전자 분야는 기술적인 면에서 세계 시장에서의 경쟁력을 가지고 있다.

그러나 1990년대 말, 고속 성장의 부산물로서 지나친 외채가 생기는 등 경제면에서 여러 어려움이 생겼다. 경제는 불황에 빠져들고 한국 경제의 거품을 걷어 내야 한다는 목소리가 높아졌다. 이에 따라 거품 걷기의 일환으로 빅딜(Big Deal)과 구조 조정이 행해졌다. 빅딜이란 부채 비율이 높은 회사를 재무구조가 건전한 회사가 인수 및 통합하는 것을 의미하고, 구조 조정이란 기업의 재무 구조와 조직 구조를 효율적으로 재조정하는 것이다. 빅딜과 구조조정의 필연적인 산물로 많은 근로자들이 해고되고 직장을 잃는 아픔을 겪었다.

한편, 국내 기업의 해외 매각도 단행되어 여러 주요 업종에서 외국인의 주식 지분이 늘어났다. 이는 여태껏 해외 자본의 국내 유입을 경제적 침략으로 여기던 한국인의 시각을 침략이 아닌 투자라는 긍정적 시각으로 바꿔 놓았다. 또한 삼성, 현대, 대우 등의 재벌 개혁도 단행되었다. 고속 경제 성장에 따르는 엄청난 부채를 안게 된 주체가 재벌 기업들이기 때문이다. 문제가 있는 기업은 워크아웃(work-out)에 들어가서 계열사들을 분리하여 매각하기도 하고 부채를 맡을 새로운 소유주를 찾기도 하였다.

▲ 자동차 공업

▲ 조선 공업

▲ 반도체 산업

이러한 여러 가지 노력을 통해 한국 경제는 차츰 회복되고 있다. 단기 외채의 부담이 줄고 기업의 효율성을 높이려는 작업이 계속 진행중이다. 따라서 한국 경제의 위기는 고속 성장의 부정적인 부산물을 청산하고 한 단계 더 발전하기 위한 필수적인 과제로 평가된다. 역사적으로 그래왔듯이 위기를 기회로 삼는 한국인의 지혜가 다시 한 번 필요할 때이다.

▶ 질문

1. 한국 경제의 고속 성장이 가져온 부산물이 무엇입니까?
2. 구조 조정이란 어떤 것을 말합니까?
3. 워크아웃은 경제 용어이기도 하지만 운동에도 쓰입니다. 무엇을 의미합니까?
4. '거품' 이 의미하는 바를 말해 봅시다.
5. 뉴스에서 듣거나 신문에서 읽은 한국경제에 관한 최근 정보를 논의해 봅시다.

▶ 단어 정리

· 회생   resuscitation   回生
· 외채   foreign debts   外債
· 건설   construction   建設
· 기간 산업   basic(key) industries   基幹産業
· 투자   investment   投資
· 경쟁력   competitiveness   競争力
· 부산물   by-products   副産物
· 불황   depression, stagnation   不況
· 거품   bubble   バブル
· 부채 비율   debt rate   負債比率
· 재무 구조   financial structure   財務構造

· 인수하다   to take over   引き受ける
· 통합하다   to integrate, unify   統合する
· 효율적   effective   効率的
· 재조정하다   to remake   再調整する
· 해고되다   to be laid off   解雇される
· 매각하다   to sell (usually company)   売却する
· 주식 지분   amount of shared stocks   持ち株
· 재벌 개혁   Chaebel(conglomerate) reformation   財閥改革
· 계열사   affiliated company   系列会社

한국의 경제가 회복되고 있다고 말한다. 또는 IMF 관리 체제 이전의 소비 생활로 되돌아갔다고도 한다. 우리 경제가 회복되고 있다는 증거는 여러 곳에서 보여진다. 그 중에서도 투자가 활발해졌다는 점이 중요한 증거 중의 하나라고 할 수 있다.

이러한 분위기 속에서 단연 돋보이게 활발한 시장이 바로 코스닥이다. 그렇다면 코스닥은 기존 주식 투자 시장과는 어떻게 다른 곳일까? 영문으로는 'Korea Securities Dealers Automated Quotation'이며, 이를 'KOSDAQ'이라고 표기하는 코스닥은 원래 미국의 나스닥(NASDAQ)을 모델로 한다. 증권 거래소 이외의 장소에서 유가 증권이 거래되는 넓은 의미의 장외 시장 중 가장 대표적으로 규격화되고 활성화된 시장이다.

고부가 가치 산업인 중소 벤처 기업에게 장기적이고 안정적인 자금을 공급하고 투자자에게는 위험은 크지만 많은 수익의 기회를 제공하기 위해 1996년 7월 주식 장외 시장을 조직화하여 코스닥 시장이 탄생되었다. 코스닥 증권 시장은 출범부터 컴퓨터에 의한 자동 매매 체결 시스템을 갖추고 경쟁 매매 방식으로 운영하였다. 또한 기존의 증권 거래소에 비해 덜 규제되고, 비교적 진입과 퇴출이 자유로운 시장을 지향하였다.

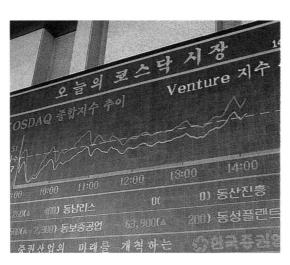

코스닥의 주요 업무는 등록 기업들의 질적 수준의 향상과 시장의 안정성을 도모하여 우수한 기업들의 자본 조달 능력을 보호함과 동시에 장래성 있는 기업에게 성장 기회를 제공한다. 그렇기 때문에 반도체, 인터넷, 정보 통신 등 첨단 지식 기반 기업 위주로

등록을 유치하고 있다.

　1997년 말 외환 위기 이후 경기 침체로 코스닥 시장은 설립 이후 최대의 위기를 맞이했으나, 최근 경기 회복, 유동성 증가 등 경제적 요인과 등록 요건 완화 및 세제 혜택 제공 등을 주요 골자로 하는 정부의 제3차 코스닥 시장 활성화 방안 (99.5.4)의 발표로 코스닥 시장은 최근 유례 없는 성장을 보이고 있다.

▶ 질문

1. 코스닥이 기존 주식 시장과 어떻게 다릅니까?

2. '기존' 이란 단어를 다르게 표현해 봅시다.

3. 코스닥은 어떤 종류의 기업에 자금을 공급합니까?

4. 코스닥의 투자자들은 투자에 있어서 어떤 부정적인 점과 긍정적인 점을 갖습니까?

5. 코스닥 시장이 위기를 벗어나 활성화될 수 있었던 것은 무엇 때문입니까?

▶ 단어 정리

- 단연　absolutely, definitely　斷然
- 돋보이다　to be conspicuous　著しい
- 유가 증권　negotiable securities　有価証券
- 진입　getting into　進入
- 퇴출　going(kicking) out of　退出
- 지향　aiming to　指向
- 등록 기업　registered enterprise　登録企業
- 자본 조달　capital supply　資本調達
- 성장 기회　an opportunity for growth　成長の機会
- 첨단 지식　high-technology knowledge　最先端知識
- 기반　ground, foundation　基盤
- 위주로　centering on　中心に
- 유치　holding, having　誘致
- 외환 위기　a foreign exchange(debt) crisis　外為危機
- 경기 침체　the market stagnation　景気停滞
- 유동성　circulation　流動性
- 요건　requirement　要件
- 완화　alleviation　緩和
- 세제 혜택　tax benefits　税免除
- 골자　the gist　要旨

3 2000년 우리 나라 경제 전망
Economic Prospect of Korea in the Year 2000

아주 오래갈 것 같던 외환 위기의 고통이 예상보다 빨리 끝나가고 있다. 각종 경제 지표로 볼 때 한국 경제는 2년 만에 IMF 관리 체제 이전으로 돌아간 것으로 보인다. 일단 새 천년을 기분 좋게 맞은 셈이다. 경제 관련 전문 기관들이 내놓은 올해 한국의 경제 전망은 한마디로 '장미빛'이다. 7% 안팎의 높은 성장, 3% 수준의 대체로 안정된 물가, 백억 달러 규모의 경상 수지 흑자 등 '세 마리 토끼'를 한꺼번에 잡는 게 가능할 것이라는 예측이다.

주요 기관들은 경기 상승을 이끌 요인으로 미국·일본·동남아 등 해외 경제 여건이 계속 좋고, 벤처 붐 아래 신규 창업이 활발히 일고 있으며, 대기업들도 구조 조정의 고비를 넘기면서 투자 확대에 나서고 있는 점 등을 꼽는다. 특히 올해는 건설 경기까지 회복 국면에 들어서 경기 상승에 한 몫을 할 것으로 점쳐진다. 그러면 경기 상승의 결과는 어떠한가?

우선, 경기가 상승하면 일자리가 늘어난다. 경기 상승은 그만큼 많은 일자리를 만든다. 중소·벤처 기업 쪽으로 인력 이동이 활발한 가운데 대기업들은 채용 확대를 본격화할 것으로 보인다. 건설 경기까지 좋아지면 일용직 저소득층들도 일자리를 많이 찾게 될 것으로 기대된다.

둘째, 물가 오름 폭은 커진다. 빠른 경기 상승과 고용 확대는 물가를 자극하기 마련이다. 주요 기관들의 소비자 물가 상승률 전망치는 3% 안팎이다.

셋째, 경상 수지 흑자는 감소하게 된다. 환율이 오르고 내수

▲ 벤처투자 설명회

소비가 확대되면서 경상 수지 흑자는 지난 해보다 절반 이상 줄어든 백억 달러 선에 머물 전망이다. 이 같은 추세라면 내년부터는 다시 적자로 돌아설 것이란 우려도 나온다. 여전히 외채가 많고 대외 의존도가 높은 경제구조 아래 적정 규모의 경상 흑자는 유지할 필요가 있지만, 기업들이 경쟁력을 얼마나 높여 나갈 수 있을지가 관건이다.

▶ 질문

1. 저효율 고비용이 경제가 잘못되었을 때 나타나는 현상이라면, 그 반대로 개인이나 국가가 살림살이를 경제적으로 잘 운용했을 때 나타나는 현상은 어떤 단어로 표현될 수 있습니까?
2. 전망이 장미빛이란 어떤 의미입니까?
3. 세 마리 토끼를 잡는다는 것이 어떤 뜻입니까?
4. 경기 상승에 의해 나타나는 현상들은 어떤 것들입니까?

▶ 단어 정리

- 경제 지표   economic index   経済指標
- 관리 체제   control system   管理体制
- 전문 기관   professional organization   專門機関
- 경상 수지   the current balance   經常收支
- 흑자   being in the black   黑字
- 신규   new   新規

- 창업   starting a new business   創業
- 고비   crisis   瀨戶際
- 건설 경기   the construction market   建設景氣
- 회복 국면   a phase of recovery   回復局面
- 경기 상승   booming of the market   景氣上昇
- 대외   foreign, overseas   처外

1 한국의 교육 제도
Educational System in Korea

한국의 교육 제도는 초등학교 6년, 중학교 3년, 고등학교 3년, 대학교 4년으로 구성된다. 초등학교 입학 전에는 유치원이 있고, 대학교 졸업 후에는 석사와 박사 과정을 이수하는 대학원이 있다. 중학교와 고등 학교의 입학은 몇 개의 사립 학교를 제외하곤 추첨에 의해 학교가 결정되지만, 대학교는 자신이 원하는 학교를 직접 선택해서 지원한다.

초등학교에서는 '열린교육'이라는 새로운 교육 방법이 시도되고 있다. 이는 과거의 주입식 교육을 버리고 학생들의 자발적인 참여를 중요시하는 것이다. 중학교 및 고등학교 교육은 아직도 대학 입시를 중심으로 행해진다. 그러나 대학 입학시험의 경향이 과거의 사지선다형에서 논술 중심으로 바뀌고, 입학 허가의 기준도 지금까지는 모든 과목을 잘해야 했던 것에서 차츰 한 분야를 잘하면 입학 허가를 주는 방향으로 바뀌어 가고 있다. 따라서 대학 시험에 매인 교육에서 각 학생의 자질을 계발하는 교육으로 나아가고 있는 중이다.

1990년대 말 한국 경제에 위기가 오면서 대학을 졸업하고 취업이 매우 어렵게 되자 많은 대학생들이 대학의 인문 교육은 학점을 따는 데서 그치고 취업을 위하여 여러 공식 자격증 시험을 준비하게 되었다. 대학 당국도 대학이 사회 진출로 연결되는 장이 되지 못하고 지금까지의 대학 교

▲ 초등학교의 열린교육

육에 실용성이 부족한 점을 반성하게 되었다. 이에 따라 사회에서 필요한 영어와 컴퓨터의 기본 지식을 강조하게 되었고, 각 전공 분야의 지식이 이론에 그치지 않고 사회에 나가 응용할 수 있는 지식으로 전환하게 된 것이다.

현재 한국의 교육은 좀더 민주화되고 개인의 특성을 중시하며 실용적인 방향으로 나아가는 과도기에 있다고 할 수 있겠다. 하지만, 이와 같은 변화가 전반적인 학문의 발전을 위해서 과연 긍정적인가 하는 것은 많은 논란거리이다. 너무나 실용학문 위주의 추세로 나아가는 것이 아닌가 하는 우려가 많은 고전 학문, 정통 학문을 하는 사람들을 중심으로 보이지 않게 강하게 형성되고 있는 것이다.

▶ 질문

1. 기존 한국 교육에는 어떠한 문제점들이 있었는지 토의해 봅시다.
2. 한국 교육이 앞으로 나아갈 방향에 대해서 이야기해 봅시다.
3. 최근 대학에서 강조되는 것들은 무엇입니까?
4. 여러분 나라의 교육 제도와 환경에 대해 한국과 비교해 보고 서로 토의해 봅시다.

▶ 단어 정리

- 구성되다 to be composed of 構成される
- 이수하다 to complete 履修する
- 시도하다 to attempt 試みる
- 주입식 the cramming system 詰め込み式
- 자발적 voluntary 自発的
- 행해지다 to be done 行われている
- 사지선다형 multiple choice form 四択問題
- 논술 Essay writing 論述
- 자질 talent, quality 資質
- 취업 getting a job 就職

- 인문 cultural sciences or Humanities 人文
- 학점 grade point (大学の)履修単位
- 공식 official 公式
- 자격증 certificate 資格
- 실용성 practical aspect 実用性
- 반성하다 to reflect 反省する
- 진출 advancement 進出
- 응용 application 応用
- 전환 change, extension 転換
- 과도기 transition period 過渡期

2 밀레니엄 시대의 '새 교육'
New Educational System in the Millennium Era

교육이 백년지대계(百年之大計)가 아니었던 시대는 없었다. 그렇기 때문에 교육은 계속해서 개혁의 대상이 되어 온 것도 사실이다. 다시 말하면 교육은 무엇보다도 중요하고, 그렇기에 계속적으로 보완, 발전되어 온 것이다. 그렇다면 근본적으로 우리는 왜 교육을 해야 하는가? 또한, 새로운 21세기에는 어떻게 교육을 해야 할 것인가?

교육을 하는 이유는 생명체를 유지해 나가는 능력을 기르는 것이다. 인간은 혼자서 살 수 없으므로 넓은 의미에서 다른 생명체까지 포함하는 '이웃'과 더불어 살 수 있는 법을 익혀야 한다. 즉 다른 생명체와 조화를 이루며 상생(相生)하는 힘을 기르게 하는 것이며, 그렇기 위해서는 '생명의 존엄성'에 대한 자각이 먼저 이루어져야 하는 것이다.

도시 문명의 시간을 '인공적인 시간'이라고 볼 때, 아이들의 지적 호기심이 왕성할 때 '생명의 시간'과 접할 기회를 줌으로써 인간을 만드는 교육을 실천할 수 있다. 이러한 새 교육은 발상을 바꿈으로써 현재의 제도권 교육에서도 실천이 가능하다. 예를 들어 방학을 이용해 바닷가에 텐트를 치고 야영을 하며 자연을 느끼게 한다든지, 일손 딸리는 농어촌 자원 봉사로 남을 돕는 것의 소중함을 느끼게 하는 것만으로도 충분한 경험이 될 수 있을 것이다.

밀레니엄 시대에는 인간으로서의 품성을 살리는 교육, 사람답게 사는 법을 배우는 교육, 그래서 사람을 살리는 교육이 필요한 시대이다. 지금 교육 제도의 결과로는 배운 대부분의 지식이 낭비된다고 볼 수도 있다. 학교 교육이

▲ 초등학생의 자연학교

끝남과 동시에 쓰레기로 전락해버리는 지식 위주의 교육이 아
닌, 교육의 진정한 가치 회복에서부터 '새 교육'을 출발시키
는 것이다.

　지식을 단절된 상태로 가르치는 것이 아니라 여러 개별 지
식을 연결하고 종합하고, 사회·자연 과학적 지식만이 아니라
문학, 특히 시를 통해 인간 조건의 다양한 정체성에 눈뜨도록
해야 할 것이다. 아울러 윤리 교육과 공동체 의식을 갖도록
해야 하는 것이 21세기 교육에서 중요하다고 하겠다. 21세기
에는 아이들이 자연과 교감하며 일을 배우고, 더불어 살 수
있는 전인(全人)적 인간을 키우는 교육이 뿌리내리는 '새 교
육'의 시대인 것이다.

▶ 질문

1. 우리는 왜 교육을 해야 하는가에 대해 서로 토론해 봅시다.
2. '새 교육'이란 어떤 교육을 말하는지에 대해 서로 토론해 봅시다.
3. 교육이 백년지대계란 어떤 의미입니까?
4. 과거의 교육에 대해 비판한 내용을 위의 글에서 찾아봅시다.

▶ 단어 정리

• 백년지대계　far-sighted plan　百年の大計
• 개혁의 대상　object of reformation　改革の対象
• ~도 사실이다　to be also true　~も事実である
• 생명체　life　生命体
• 더불어 살다　to live together　共に住む
• 익히다　to learn　学ぶ
• 포함한다　to include　含む
• 상생하는 힘　power to live together
　　　　　共存するパワー
• 생명의 존엄성　dignity of the life　生命の尊厳性
• 자각　self-consciousness　自覚
• 호기심　curiosity　好奇心

• 발상을 바꾸다　to change of the way of thinking
　　　　　発想を変える
• 일손이 딸리다　to need help　人手が足りない
• 품성　character　品性
• 사람답게 사는 법　the way to live as a
　　　　　human nature
　　　　　人間らしく暮らす方法
• 전락해버리다　to fall down　欠落してしまう
• 위주　~centered　重視
• 단절　disconnected　断絶
• 뿌리내리다　to root　根付く

3 초·중등 학교 교단의 여성화 현상
An Overflowing of Female Teachers in the Elementary and Middle Schools

서울의 어느 초등 학교에는 전체 교사 57명 중 남자 교사는 6명뿐이다. 여자 교사의 비율이 거의 90%에 달한다. 이 학교에서는 특정 학년에 남자 교사가 몰리는 것을 막기 위해 각 학년에 1명씩 배치하는 묘안을 짜야 했다. 이 학교 교장은 6학년이 될 때까지 남자 담임 선생님을 한 번도 못 만나는 아이들이 태반이라고 말했다. 서울은 여교사 비율이 80% 이상인 초등 학교가 전체 529개 학교 가운데 42.9%인 227개나 된다.

초·중등 학교마다 남교사가 부족하고 여교사는 넘쳐나는 교단 여성화 현상이 갈수록 심각하다. 더구나 군필자 가산점 제도의 위헌 결정으로 전국의 초·중등 교사 임용 시험에서 남자 응시자들의 합격률이 크게 떨어지면서 초·중등 학교에서의 '교단 여성화 현상'에 대한 우려의 목소리가 더욱 높다.

서울의 경우 1999년 기준 초등 학교의 여교사 비율은 75%로 4명 중 3명꼴이다. 전국적으로는 62% 수준이다. 하지만 부족한 남교사를 확보하기 위한 뾰족한 대책은 아직 마련되지 않고 있다. 현재 남교사 확보책은 교육부가 최근 내놓은 '5년 근속 교사 병역면제'가 유일하다. 그나마 병무청 등 관련 부처와 협의해야 하기 때문에 연내 실현 가능성은 불투명하다.

이에 따라 교육계에서는 교육 대학 입학 때 '한쪽 성(性)이 70~75%를 넘으면 안 된다'는 규정이 적용되는 것처럼 교사 임용 시험에서도 쿼터제가 도입돼야 한다는 의견이 나오고 있다. 현재 행정 고시 등 국가 시험에서도 일정 비율로 여성의 몫을 보장하는 만큼 '여성화 현상'이 심각한 교직에서 '역(逆) 쿼터제' 도입을 진지하게 검토해야 한다는 것이다. 하지만 경제협력개발기구(OECD) 소속 국가들의 초등 여교사 비율은 1999년 현재 78%로 우리 나라보다 높기 때문에 쿼터제 도입을 주장할 근거가 약하다는 것이 교육부의 입장이다.

아이들의 정서 형성에 있어서 가장 중요한 시기에 남교사의 부족은 사회적으로 남성의 여성화가 우려된다. 이러한 사태를 미리 예견하고 적절한 대책을 세우지 못한 교육부의 실책을 논하며, 균형 잡힌 아동기의 교육을 위해 어떤 조치와 대책들이 나올지 귀추가 주목된다.

▶ 질문

1. 위의 글에서 초·중등 학교의 문제는 무엇입니까?
2. 서울의 어느 초등학교에서는 남자 교사를 골고루 배치하기 위해 어떻게 했습니까?
3. 교단의 여성화 문제가 더욱 심각하게 된 최근 사건은 무엇입니까?
4. '군필자 가산점 제도'의 의미는 무엇이며 이 제도의 위헌 결정에 동의합니까? 동의하는 이유와 동의하지 않는 이유에 대해 서로 토의해 봅시다.
5. 역쿼터제란 무엇이며 역쿼터제 실시에 대한 본인의 의견을 말해 봅시다.
6. 여러분 나라의 교사 비율에는 어떤 문제가 있습니까?

▶ 단어 정리

· 비율 ratio 割合
· 특정 specific 特定
· 몰리다 to be concentrated 集中する
· 배치 arrangement 配置
· 묘안 a good idea 名案
· 태반 most of 大半
· 교단 the platform 教壇
· 군필자 someone who discharged from the military service 兵役義務を果たした者
· 가산점 extra credits 加算点
· 위헌 against the constitutional law 違憲

· 임용시험 employment examination 採用試験
· 응시자 applicants 応募者
· 우려 worry 心配事
· 뾰족한 pointed(good) ぴったりとあった
· 대책 solution, measure 対策
· 근속 continuous service 勤続
· 병역 면제 exemption from the military duty 兵役免除
· 병무청 the Military Service Bureau 兵務庁
· 연내 within this year 年内

5

환경과
인터넷, 그리고 과학

Environment, Internet and Science

◇ 환경 (Environment)

◇ 인터넷 (Internet)

◇ 과학 (Science)

1　지구 온난화와 물 부족
Global Greenhouse Effects and Water Shortage

▲ 대기 오염(Los Angeles)

지구 온난화는 물 부족 문제와 더불어 오늘날 지구촌의 환경문제로 대두된다. 환경학자들은 "지구 온난화를 막지 못하면 얼마 안 있어 대부분의 섬과 해안 지역이 바닷물에 잠기게 될 것"이라고 경고한다. 전세계의 공장과 6억 5천여만 대에 이르는 자동차 등에서 내뿜는 이산화탄소는 지구 온난화의 주범으로 뽑히고 있다. 지구 온난화로 인해 인류는 지난 30년 간 3백만 명의 인명 피해를 보았다. 빙하와 만년설의 해빙, 기상 변화, 산호초 파괴 등 자연 재해가 발생했기 때문이다.

또한 유엔환경계획(UNEP)이 1999년 9월에 발표한 '지구 환경 전망 2000' 보고서에 따르면 현재 전세계 인구의 절반은 물 부족으로 곤란을 겪고 있다고 한다. 전세계 인구의 20%는 아예 자체 식수원이 없다. 12억 명은 위생용수 부족으로 건강이 위협받고 있고, 아프리카와 아시아는 물론 미국에서도 농업용수의 부족으로 식량 생산 감소와 농지의 사막화 현상이 벌어지고 있다.

이러한 환경 문제의 심화로 인해 범지구적인 대책의 필요성이 절실히 요구되고 있다. 그러나 선진국과 개발 도상국 사이의 이해 관계 때문에 적절한 대책이 마련되지 못하고 있다. 따라서 환경 문제 해결을 위한 국제적인 리더십과 강한 의지력이 무엇보다 필요하다. 전문가들은 뉴 밀레니엄(New Millennium)이 '그린 밀레니엄(Green Millennium)'으로 불릴 것으로 전망하고 있다. 21세기에는 국력의 척도가 국부(國富)에서

▲ 아프리카의 대기근

환경으로 옮겨갈 것으로 예상되기 때문이다.

1. 지구의 온난화는 어떤 재난을 초래할 수 있습니까?

2. 지구 온난화의 원인은 무엇입니까?

3. 여러분 나라의 물 공급 상황은 어떻습니까? 물 절약을 위한 어떤 운동이나 정책을 펴고 있습니까?

4. 환경 문제로 인한 선진국과 개발 도상국의 이해 관계란 무엇을 의미합니까? 예를 들어 논의해 봅시다.

▶ 단어 정리

- 온난화　Greenhouse effects　温暖化
- 지구촌　global village　地球村
- 주범　main reason(offender)　主犯
- 빙하　glacier　氷河
- 만년설의 해빙　thawing of perpetual snow
　　　　　　　　万年雪の解氷
- 산호초 파괴　destruction of coral reef
　　　　　　　珊瑚礁の破壊
- 재해　disaster　災害
- 전망　prospect, outlook　展望
- 식수　drinking water　食用水

- 위생 용수　sanitary water　衛生水
- 위협　threat　脅威
- 사막　desert　砂漠
- 심화　deepening　深化
- 범 지구적인 대책　Pan(범)-Global measure
　　　　　　　　汎世界的な対策
- 절실히　eagerly, seriously　切実に
- 이해 관계　gains and losses　利害関係
- 의지력　will power　意志
- 국력　national strength　国力
- 국부　national wealth　国富

2 맑은 공기와 깨끗한 물을 마시며 살고 싶다.
We Like to Live with Clean Air and Water.

불과 수십 년 전만 해도 많은 사람들이 도시로 몰려들었다. 산업화가 급속하게 이루어지는 상황이어서 도시로 가야 많은 일자리를 얻을 수 있었기 때문이다. 하지만 요즘 들어서는 오히려 도시를 탈출하고 싶어하는 사람들이 크게 늘고 있다. 더러운 공기와 물, 그리고 주변의 공해 물질 속에서의 생활이 싫어진 것이다. 생활이 넉넉한 선진국들을 중심으로 환경 문제를 무역과 연계하자는 이야기가 나오기 시작한 것도 같은 이유에서다.

이 같은 현대인들의 소망은 이미 오래 전부터 환경 라운드(Environmental Round)라는 새로운 무역 질서로 구체화되기 시작했다. 특히 1989년 오존층 파괴의 주범인 프레온가스(CFC : 염화불화탄소) 사용을 금지하기 위한 몬트리올 의정서가 발효되면서 환경 문제에 대한 무역 규제 방안은 세계 각국의 기업들을 크게 변화하도록 요구했다. 그 이후 유럽 연합(EU)과 미국 등 전세계적인 여러 국제 회의와 모임들을 통해 환경과 관련한 많은 협약들이 이루어지고, 이제는 이들 협약이 국제 규범으로 자리잡았다.

더구나 환경 라운드는 환경에 유해한 상품의 교역을 제한하는데 그치지 않고, 설사 환경에 유해하지 않은 상품이라도 생산 과정이 환경에 친화적이지 못한 경우 규제 대상에 포함시

키고 있다. 환경 문제는 더 이상 지역적인 문제가 아니라 범 지구적인 차원에서 인식되고 있는 것이다. 이에 환경 라운드를 충족시키기 위한 친환경 제품 개발을 위해 세계 각국의 기업들이 앞다퉈 나섰다.

21세기는 환경의 세기로 환경 산업 발전과 환경 관리 능력이 국가 경쟁력의 척도가 되고, 환경 문제가 국제 질서 재편의 주요 요소로 자리잡고 있다. 이러한 국제적 분위기 속에서 우리 나라 기업들의 존폐가 얼마나 환경 친화적 물건을 환경 친화적 방법으로 만드는 가에 달려 있다고 해도 과언이 아닐 것이다.

▶ 질문

1. 환경 문제와 무역을 연계하자는 이야기가 나오기 시작한 이유는 무엇입니까?
2. 세계 각국의 기업들이 친환경적인 제품 개발을 위해서 나서고 있는 이유는 무엇입니까?
3. 환경 친화적이지 못한 제품이나 재료의 예를 들어 봅시다.
4. 재활용이 환경 개선에 어떻게 영향을 미치는지 이야기해 봅시다. 여러분 나라의 재활용 방법이나 시민의 호응도를 토론해 보고 개선 방법을 제시해 봅시다.

▶ 단어 정리

- 산업화 industrialization 産業化
- 급속하게 rapidly 急速に
- 탈출 escape 脱出
- 연계 connection, linking 連結
- 무역 질서 trade order 貿易秩序
- 구체화 embodiment, actualization 具体化
- 무역 규제 trade restriction 貿易規制
- 방안 plan, scheme 計画
- 파괴의 주범 principal offense of destruction 破壊の主原因
- 의정서가 발효 effectuation of agreement 調定が発効

- 국제 규범 international rule 國際規範
- 제한 restriction 制限
- 유해하지 않은 not toxic 有害ではない
- 친화적 affinity, appetence 環境にやさしい
- 범 지구적인 차원 Pan-Global level 汎地球的な次元
- 충족 sufficiency, satisfaction 充足
- 경쟁력 competitiveness 競争力
- 척도 measure, standard, index 尺度
- 국가 질서 재편 reorganization(reform) of international order 國家秩序の再編

3 민간 환경 단체 활동상
Environment Preservation Activities of Civil Organizations

그동안 한국의 환경 운동 단체들의 역할과 활동은 극히 미미했었다. 하지만 이 단체들은 최근 들어 일어나는 갖가지 환경과 관련된 사건마다 중요한 역할을 하는 '파워(power) 집단'으로 거듭나고 있다. 이에 따라 과거 단순한 항변으로 그쳤던 환경단체들의 주장이 최근 들어 국가 정책과 법원 판결에까지 영향을 미치는 등 상당한 '위력'을 떨치고 있다는 평가를 받고 있다.

1999년 말 현재 한국 정부의 환경부에 등록된 민간 환경 단체는 약 130여 개지만 실제로 한국 내에서 환경 운동을 펼치는 단체는 450개 정도인 것으로 파악되고 있다. 이 중 '빅쓰리(big3)'로는 '환경연합' '녹색연합' '사회정의 시민연대'를 꼽을 수 있다. 이 단체들은 알게 모르게 환경을 지키기 위해서 많은 일들을 해 왔다.

그 중 1999년 한 해 동안 국내 환경 문제의 최대 이슈(issue)였던 영월 동강 댐 건설 문제는 그들의 지속적인 댐 건설 저지 투쟁으로 사실상 물 건너간 대표적 성과의 하나이다. 새만금 간척 사업 반대 운동, 정부의 그린벨트 해제 조치에 대한 무효화 투쟁, 백두대간-낙동정맥 등 생태계 보호 운동 등도 그들이 활발하게 벌이고 있는 활동들이다. 특히 녹색 연합의 개발 예정지 일부를 먼저 사들여 개발을 막는 '내셔널 트러스트(National Trust)' 운동은 환경 보호의 새로운 시도로 많은 이들의 관심을 사고 있다.

한편 한국의 환경 단체들은 본격적인 정치권에서의 발언권 확대를 통해 민심의 흐름에 상당한 영향력을 행사할 것으로 예상된다. 환경 연합의 한 관계자는 "정치권에서 명망 있는 환경 운동가들에게 추파를 던지는 사례가 적지 않

▲ 환경 보호 운동

지만 대부분 이를 뿌리치는 것으로 알고 있다"며 "환경 운동
가들은 누구나 자신이 국회 의원에 못지않은 중요한 일을 하
고 있다는 자부심을 갖고 있다"고 말했다.

▶ 질문

1. 환경운동 단체들의 역할이 최근 어떻게 변하였습니까?
2. 한국의 대표적인 환경 운동 단체의 이름을 말해 봅시다. 여러분의 나라에 있는 환
   경 운동의 현황과 단체들을 이야기해 봅시다.
3. 정치권에서 환경 운동가에게 관심을 보이는 이유는 무엇입니까?
4. 환경 운동의 현황을 인터넷에서 찾아보고 서로 이야기해 봅시다.
5. 재미 한국인 교포이며 환경 운동가인 Danny Suh의 한국 방문이 눈길을 끈 적
   이 있습니다. 그 기사를 찾아보고 이야기해 봅시다.

▶ 단어 정리

· 미미하다 to be light, meager, or trifling
            微々たる
· 항변 protest 抗議
· 법원 판결 decision of court 法廷判決
· 영향을 미치는 having an influence on
            影響を及ぼす
· 상당한 위력 great power 強大な威力
· 환경부 the Ministry of Environment 環境庁
· 파악 understanding, grasping 把握
· 지속적인 continuous, lasting 持続的な
· 저지 투쟁 struggle of stopping something
            沮止闘争
· 성과 result from hard working 成果
· 간척 사업 land reclamation project

            干拓事業
· 해제 조치 cancellation action 解除措置
· 무효화 투쟁 struggle for invalidity(repealing)
            廃止闘争
· 생태계 ecosystem 生態系
· 발언권 right to speak 発言権
· 민심의 흐름 flowing of public opinion
            大衆感情の流れ
· 명망 있는 환경 운동가 reputed environmentalist
            名誉のある環境保護運動家
· 추파를 던지다 to cast amorous glances
            色目を使う
· 자부심을 갖고 있다 to have self-confidence
            自負心を持っている

1 인터넷 쇼핑
Shopping on the Internet

전자 상거래가 전통적 시장의 개념을 바꾸고 있다. 원하기만 하면 누구나 인터넷에 상점을 차릴 수 있고, 고객은 세계 어디에 있든지, 또는 언제든지 원하는 상품을 살 수 있다. 온라인(online)으로 상품과 돈이 오가는 전자 상거래가 정보화 시대 세계 시장의 구조를 바꾸고 있는 것이다.

한국인들에게 있어서 인터넷 쇼핑몰에 들어가 생활 정보와 상품 정보를 수집하고, 거기서 물건을 구입하는 일은 낯설지 않다. 이미 생활의 한 부분으로 자리잡은 듯하다. 한국의 한 경제연구소는 한국 내 전자 상거래 시장이 2000년 4백 50억 원, 2002년에는 2천 1백억 원으로 확대될 것이라는 전망을 했다.

인터넷을 통한 세계 전자 상거래는 1999년 말 2백 40억 달러(약 30조원) 규모이고, 2002년에는 7천 8백억 달러(약 930조원)로 커질 전망이다. 미국에서만 1999년 크리스마스 시즌에 약 20억 달러(약 2조 4천억 원)의 매출을 기록했다. 전자 상거래는 그 역사에 비해 성장 속도가 매우 빠르다. 이는 전자 상거래가 ▲짧은 유통 경로 ▲시간과 공간의 무제한성 ▲판매 거점의 불필요 ▲고객 정보의 획득 용이 ▲효율적인 마케팅(marketing) 활동 가능 ▲소자본으로 사업이 가능한 벤처(venture) 업종이라는 일석육조의 특징에 힘입은 것이다.

전자 상거래는 소비자에게 생활의 혁명적 편이와 변화를 가져왔다. 또한 기업들에게도 '해도 그만 안 해도 그만'인 선택의 대상이 아니라, 미리 대비하지 않으면 생존 자체를 위협받게 되는 혁명적 개혁과 변화를 요구하고 있는 것이다.

1. 전자 상거래가 전통적인 상거래와 어떻게 다른지 이야기해 보시오.

2. 전자 상거래의 성장 속도가 갈수록 왜 빨라질까, 그 이유를 이야기해 보시오.

3. 전자 상거래가 소비자에게 생활의 혁명적 편이와 변화를 가져왔다고 하는데 어떤 점에서 그러합니까?

4. 인터넷으로 물건을 구입한 적이 있습니까? 어떤 점이 편리합니까? 또 불편한 점은 무엇입니까?

5. 본문의 '일석육조'라는 말은 일석이조에서 유래되었습니다. '일석이조'는 '일거양득'이란 말과 의미가 비슷합니다. 그 의미를 말하고 어떤 상황에서 사용할 수 있는지 상황을 설정해 보시오.

▶ 단어 정리

· 전자 상거래 online business transaction
　　　　電子商取引
· 개념 concept 概念
· 상점을 차릴 수 있고 to open a shop, and
　　　　商店を開くこともできるし，
· 정보화 시대 information-oriented era
　　　　情報化時代
· 구조 structure 構造
· 낯설지 않다 not to be familiar
　　　　珍しい事ではない
· 경제연구소 Economic Research Institute
　　　　経済研究所

· 규모 scale, scope 規模
· 유통 경로 distribution channel 流通経路
· 무제한성 unlimited, unrestricted 無限性
· 판매 거점 selling stronghold 販売拠点
· 용이 easiness 容易
· 효율적인 efficient 効率的な
· 소자본 small capital(fund) 小資本
· 일석육조 making 6 times solution with one try;
　　　　six-bird-one-stone solution 1石6鳥
· 혁명적 revolutional 革命的
· 생존 자체를 위협 threatening survival itself
　　　　生存それ自体の脅威

2 세상 바꾸는 인터넷 혁명
Internet Revolution Changing the World

전 세계가 인터넷 열병을 앓고 있다. 사랑을 전하는 한 송이 꽃에서부터 인공 위성에 이르기까지 인터넷은 무엇을 사고파는 데 없어서는 안 될 존재로 떠오르고 있다. 컴퓨터 통신으로 인사하고 사랑에 빠지는 이웃을 만나는 일도 이미 낯설지 않다.

정보 혁명은 이제 우리의 곁으로 다가왔다. 1992년 대중에게 처음 보급되기 시작한 인터넷은 1999년 현재 미국 가정의 절반이 사용하고 있다. 전기가 네 집당 한 집꼴로 미국에 보급되는 데 걸린 기간은 46년이며, 전화는 35년, TV는 26년이다. 그러나 인터넷은 그것들에 비하면 광속으로 번져 가는 셈이다.

세계 인터넷 이용자도 지난해 11월 현재 2억 명이 넘었다. 한국 내에서도 1999년에 6백 50만 명을 넘었고 2000년에는 1천만 명을 웃돌 것으로 예상된다. 경제 활동 인구 대부분이 인터넷을 활용하는 셈이다. 이미 1999년 말 한국의 하루 주식 거래량의 40% 가까이는 인터넷으로 이루어졌다. 정보기술 예측 회사인 미국의 IDC(International Data Corporation)에 따르면 2000년 세계 전자 상거래 규모는 2천 1백 78억 달러, 2003년에는 1조 3천억 달러를 넘을 것으로 예상하고 있다.

인텔의 앤디 그로브 최고 경영자(CEO)는 "인터넷은 인류 역사상 가장 큰 발명"이라며 "앞으로 5년 내 지구촌의 모든 회사는 인터넷 회사로 변모할 것"이라고 단언했다. 이 단언은 어쩌면 틀린 예측일지도 모른다. 지금의 추세라면 아마도 3년 내에 그의 추측이 현실이 될지도 모르기 때문이다.

▲ PC방

1. '낯설지 않다'는 말로 문장을 만들어 봅시다.

2. 본문에서 어떤 것을 '정보 혁명'이라고 보는지 말해 봅시다.

3. 여러분은 인터넷을 어떻게 이용하고 있는지 서로 이야기해 봅시다.

4. 인터넷이 없다면 어떤 불편이 있을지 토의해 봅시다.

5. 여러분이 인터넷 회사를 만든다면 어떤 종류의 회사를 만들고 싶은지 이야기해
   봅시다.

▶ 단어 정리

· 열병   fever   熱病
· 인공 위성   satellite   人工衛星
· 존재   existence   存在
· 떠오르다   to rise   浮かび上がる
· 사랑에 빠지는   to fall in love   恋に落ちる
· 낯설지 않다   not to be unfamiliar
          珍しい事ではない
· 정보 혁명   information revolution   情報革命
· 곁   near   近く
· 대중적으로   popularly   大衆的に
· 보급   supply   普及
· 네 집당 한 집꼴로   one for every four household
          四軒当りに一軒

· 그것들에 비하면   comparing to that
          それらに比べると
· 광속   speed of light   光の速度
· 번져 가는 셈   the same as to be spreading
          広がっているわけ
· 인구   population   人口
· 주식 거래량   volume of stock   柱式取引額
· 최고 경영자   CEO (Chief Executive Officer)
          最高経営者
· 변모   change, transformation   変貌
· 단언   affirmation, assertion   断言

3 사이버 학교
Cyber School

영국 런던에 사는 알버트 하먼은 기차로 약 5시간 정도 떨어져 있는 웨일스 사이버 대학의 2학년 학생이다. 그러나 그는 한 번도 학교에 가 본 적이 없다. 오늘도 하먼은 집에서 TV를 보다가 오전 11시 수업 시간이 되자 간식을 가지고 컴퓨터 앞에 앉는다. 초고속 인터넷 망을 통해 강의실을 찾아 든 하먼은 교수의 1시간짜리 역사 수업이 끝나자 과제물을 전자 우편으로 보낸 뒤 컴퓨터를 끈다. 학기말 시험이 미국 여행과 겹쳤지만 별로 개의치 않는다. 뉴욕의 친척집에서 컴퓨터로 접속하면 제 시간에 시험을 치를 수 있기 때문이다.

이상은 가상 스토리(story)이다. 그러나 상당 부분은 이미 현실화 되어 있다. 미국 일간지 유에스에이 투데이(USA Today)지(誌)는 특집 기사에서 교육에서 시간과 공간의 제약은 의미를 상실했다고 지적했다. 개인용 고성능 컴퓨터와 초고속 인터넷의 대중화 때문이다.

실제로 미국 아폴로 그룹이 운영하는 피닉스대학[www.uophx.edu]은 수강 신청, 수업, 시험 등을 모두 가상 공간에서 한다. 이 사이버(cyber) 대학이 배출한 졸업생만도 48만 명을 넘는다. 영국 정부가 25개 대학에서 실험중인 가상교육 시스템 TRIDAS는 조만간 10여 개 대학에서 공식 채택될 예정이다. TRIDAS를 통하면 세계 어느 곳에서도 동시에 시험을 보고 곧바로 결과를 알 수 있다.

아직은 대다수 사이버 학교가 전자 우편을 이용하는 단계에 머물고 있다. 그러나 인터넷에서 텍스트 오디오 비디오를 동시에 주고 받는 고급 멀티미디어 환경이 대중화되면 완벽한 사이버학교가 급증할 전망이다. 사이버 교육은 종래의 교육보다 비용이 적게 들고, 편하고, 또 학생이 얻는 정보도 폭증할 것이기 때문이다.

그러나 사제 관계나 교우 관계를 포함하는 전통적 의미의 '인간 교육'이 실종될 소지가 많다. 정보는 많아도 지성이 빈

약한 학생이 나올 확률도 크다. 이렇듯 사이버 학교의 본격 도래가 몰고 올 파장은 예상하기 어렵다.

▶ 질문

1. 알버트 하먼의 가상 학교 생활을 어떻게 생각합니까?

2. 사이버 학교의 장점은 무엇입니까?

3. 전통적인 학교에 비해 사이버 학교는 어떤 점이 부족합니까? 본문을 더 발전시켜 이야기해 봅시다.

4. 여러분이 외국어를 배우기 위하여 전통적인 대학과 사이버 대학에 갈 기회가 주어졌다면 어떻게 하겠습니까? 또 그 이유는 무엇입니까?

▶ 단어 정리

· 학기말 시험   semester final exam   学期末試験
· 개의치 않는다   not to mind(care about)
                 気にしない
· 가상   virtual, imagination   仮想
· 제약   restriction, limitation   制約
· 상실   loss   喪失
· 수강 신청   registration for a lecture(course)
                 受講申請
· 졸업생   graduate   卒業生
· 조만간   sooner or later   遅かれ早かれ
· 공식 채택   officially selected(adopted)   公式採択

· 머물고 있다   to be confined   留まっている
· 완벽한   perfect   完璧な
· 급증(=폭증)   rapid(sudden) increase   急増
· 종래   former(usual)   従来
· 사제 관계   relationship between teacher
                 and student   師弟関係
· 지성   intelligence   知性
· 확률   probability   確率
· 본격 도래   full-scale influx   本格到来
· 파장   wavelength, impact   波長
· 예상   prediction   予想

1 인간은 영원히 살 수 있을까?
Can Human Beings Live Forever?

지금으로부터 약 100년 전 미국의 한 여성 월간지는 100년 후 미국인의 평균 수명이 그 당시의 35세에서 50세로 늘어날 것으로 예측했다. 하지만 실제로는 훨씬 더 늘어났다. 1999년 미국인의 평균 수명은 76세이고, 일본인의 평균 수명은 80세다. 20세기 초 수명 예측이 틀린 것처럼, 지금 쏟아지고 있는 인간의 수명에 관한 21세기 예측도 틀릴 가능성이 많다. 어쨌든 금세기가 '장수의 시대'라는 것 자체를 부정하는 사람은 없다.

현재 인간이 얼마나 오래 살 수 있는지에 대해선 의견이 분분하지만, 2020년쯤의 최고 수명은 125세, 평균 수명은 85세 정도가 될 것이라고 예상을 한다. 일부 과학자들은 수명이 더 연장될 수도 있다고 한다. 왜냐하면 미래의 과학이 인간에게 줄 선물은 무궁무진하기 때문이다.

암이나 치매 같은 불치병도 머지않아 정복될 수 있다는 것은 중론이다. 암은 10년 내에 정복될 것이고, 장기의 죽은 세포를 재생시키는 연구도 진전 중이다. 그리고 노인의 근육 생산을 촉진시키는 약이 실험 중이고, 노화 효소를 차단하고 기억력을 향상시키는 신약도 개발 중이다. 또한 돼지의 폐 같은 동물장기를 인간에게 이식하는 연구는 실용화 단계를 눈앞에 두고 있다. 유전자 조작과 칼로리 조절로 생명을 40%까지 연장할 수 있다는 사실은 동식물 실험에서 이미 입증되었다.

그러나 근본적인 건강한 장수의 필수 조건은 역시 인간의 노력이다. 담

▲ 인간 유전자 지도 연구

배를 안 피고, 음식을 적게 먹고, 비만을 줄이고, 운동하는 것은 물론이고, 손을 잘 씻거나 운전할 때 제한속도를 잘 지키는 것과 같은 '사소한 실천'들이 21세기에도 여전히 건강과 장수의 기본이라고 전문가들은 말한다.

▶ 질문

1. 이 글에서 100년 전 한 여성 월간지의 예측을 언급한 이유는 무엇을 강조하기 위해서입니까?
2. 본문에서 장수를 가능하게 하는 과학의 발달에 대해 이야기해 봅시다.
3. 건강과 장수의 기본적인 비결은 어디에 있습니까?
4. 인간의 장수에 따라오는 문제가 노년의 생활을 어떻게 의미있게 보내는가 하는 것입니다. 장수에 따른 미래의 노년 생활에 대해 상상해 봅시다.

▶ 단어 정리

- 월간지 monthly magazine 月刊誌
- 장수의 시대 era of longevity 長寿の時代
- 부정 denial 否定
- 무궁 무진 infinitude, endlessness 無限
- 불치병 incurable disease 不治の病
- 머지않아 not to take long time まもなく
- 정복 conquest, subjugation 征服
- 중론 consensus of opinion 世論
- 장기의 세포 the cell of internal organs 臓器の細胞
- 진전 중이다 to be making progressing 進んでいる最中である

- 촉진하는 약 medicine to facilitate 促進する薬
- 노화 효소 enzyme of aging 老化酵素
- 이식 transplantation 移植
- 실용화 단계 stage of practical use 実用化の段階
- 눈앞에 두고 있다 something almost has done 目前にある
- 유전자 gene 遺伝子
- 연장 lengthen one' span of life 延長
- 입증 demonstration, proof 立証
- 필수 조건 essential condition 必須条件

2 우주 여행의 환상이 현실로
A Trip to Space Now Becomes a Reality

일반인의 우주 여행은 얼마나 멀었는가? 미국 듀크대 (Duke University)대 알렉스 롤런드 박사는 얼마 전 미국의 한 텔레비전 방송과의 대담에서 "(일반인의) 지구 궤도를 도는 우주 여행은 20~30년 내에 가능해진다"고 말했다. 그는 "2050년이 지나면 최첨단 우주 왕복선을 타고 화성으로 신혼 여행을 떠날 수 있을 것"이라고 전망했다.

미국의 16개 우주 여행 업체들은 2002년 후반 100km 상공에서 3시간 동안 우주 유영을 체험하는 여행 상품을 1999년 초에 내놓았다. 비용은 10만 달러(약 1억 2000만원)이지만, 1년 만에 벌써 250명이나 신청했다.

일본의 한 건설 회사는 2010년까지 450km 우주 상공에 우주 호텔을 세워 관광객을 유치할 계획이다. 이 호텔은 객실 64개와 레스토랑, 그리고 레저 시설 등을 갖춘다. 아름다운 지구의 모습을 감상하며 커피를 마시고, 무중력 상태에서의 유영 체험과 우주 스포츠 등을 하면서 몸을 날씬하게 가꾸고 얼굴의 잔주름을 펴게 될 날이 멀지 않았다는 것이다.

미 항공우주국(NASA)의 '우주열차' 아이디어도 놀랍다. 이 자기 부상 열차는 산을 뚫어 만든 자기 터널을 시속 800km로 빠져나온 뒤, 전기와 추진로켓의 힘을 얻어 우주로 날아간다.

이 열차를 이용하면 1인당 우주 왕복 비용이 5만 달러(약 6000만원)까지 떨어진다는 게 업계의 관측이다.

그러나 미래의 새 여행 상품들이 빈부 계층간 위화감을 더욱 부추길 것이라는 지적도 있다. 비용이 아무리 싸져도 한 번에 수천만원씩 드는 여행을 할 수 있는 사람은 극소수일 것이기 때문이다.

1. 알렉스 롤런드 박사의 우주 여행에 대한 전망은 무엇입니까? 이 전망은 이루어질 것 같습니까?

2. 만약 우주로 신혼 여행을 갈 기회가 생긴다면 당신은 어떻게 하겠습니까? 그 이유까지 말해 봅시다.

3. 일인당 우주 왕복 여행비가 5만 달러라면 적절하다고 생각합니까? 만약 복권이 당첨되어 많은 돈이 생긴다면 5만 달러를 내고 우주 왕복 여행을 하겠습니까?

4. 우주 여행이 가능하다는 가정 아래 우주 열차, 우주 호텔, 우주 관광 코스를 디자인해 보고 서로 토의해 봅시다.

▶ 단어 정리

· 방송과의 대담 interview with broadcasting 放送での対談
· 지구 궤도 orbit around the earth 地球軌道
· 최첨단 우주 왕복선 high-tech space shuttle 最先端の宇宙船
· 화성 Mars 火星
· 우주 여행 업체 space travel companies 宇宙旅行業者
· 우주 유영을 체험 experience of spacewalk 宇宙遊泳を体験
· 신청 application, request 申し込み
· 유치할 계획 plan to attract 誘致する計画

· 레저시설 leisure facilities レジャー施設
· 감상 enjoy watching 鑑賞
· 무중력 zero gravity 無重力
· 날씬하게 slimming, thinning すらりと
· 잔주름 fine wrinkles 小皺
· 자기 magnetic 磁気
· 업계의 관측 opinion of the industry 業界の観測
· 위화감 sense of incongruity 違和感
· 부추길 것 urging そそのかす
· 극소수 smallest, minimum 極少数

3 디지털이 생활을 바꾼다
Digital Changes the World

디지털 정보가전이 가져다 줄 21세기형 생활 혁명이 임박했다. 10여 년 전 시작된 제1차 디지털 혁명은 PC(Personal Computer; 개인용 컴퓨터)가 그 주인공이었다. 하지만 다가올 제2차 디지털 혁명 시대엔 네트워크(Network) 기술로 무장한 정보가전 제품이 주역을 이어받을 것이다. 텔레비전, 냉장고, 게임기가 지능을 가진 정보 단말기로 변신해 가정 내 생활 양식을 송두리째 바꿔 놓으려 하고 있는 것이다.

아침에 잠을 깬 수철은 "잘 잤다"며 기지개를 켠다. 밤새 멈춰 있던 집안의 각종 시스템이 그 목소리를 인식해 작동을 개시한다. 전등이 켜지고, 커피 주전자는 물을 끓이기 시작하고, 침실의 텔레비전은 그날의 일정과 밤새 들어온 연락 사항, 주요 뉴스를 띄워 준다. 화면을 체크(check)한 뒤 수철은 습관대로 건강 관리 센터(center)로 탈바꿈해 있는 화장실로 향한다. 변기에 앉아 용변을 보는 것만으로 몸의 각종 건강 상태가 자동 측정되어 수철의 지정 병원으로 전송된다.

수철의 부인 해옥은 부엌에서 아침 식사를 준비 중이다. 냉장고에 달린 인터넷 단말기를 통해 식품 회사의 추천 식단이 가족 개개인의 건강 상태에 맞게 메뉴와 조리법을 보내 준다. 또한 냉장고 정보 단말기는 가계부 정리에서 식품 재고 관리까지 주부의 정보 창구 역할을 한다.

수철은 재택 근무 환경이 완벽하게 갖춰진 그의 집 한 구석에 있는 PC 앞에 앉아 업무를 본다. 필요하면 화상 회의까지 갖는데, 외국어 음성 통역 기술도 상당 수준 발전해 영어를 못하는 수철도 웬만한 의사 소통이 가능하다.

10여 년 전 1차 디지털 혁명의 핵심은 기업과 사회의 정보화였다면, 2차 혁명은 가정이 무대이고, 개인이 타깃(target)이다. 그 혁명은 고립되어 있던 가정을 사회 정보 네트워크(network)에 연결하는 것을 목적으로 한다. 가전 제품이 디지털 기술로 무장하는 순간, 상상도 못했던 새로운 라이프 스타

일이 탄생된다.

1. 디지털 정보 가전 제품이란 무엇을 말하는지 이야기해 봅시다.

2. 정보 가전 제품이 전통적인 가전 제품과 어떻게 다른지 말해 봅시다.

3. 이 글에서 1차 디지털 혁명과 2차 혁명의 차이점을 말해 봅시다.

4. 여러분의 생활에 좀더 자동화하고 싶은 부분이 있는지, 있다면 어떤 종류의 정보 가전 제품을 원하는지 이야기해 봅시다.

▶ 단어 정리

· 정보 가전   information and electric home
        appliance   情報家電
· 임박   being close at hand   間近
· 무장한   fully equipped   武装した
· 주역   main role   主役
· 정보 단말기   information device   情報端末機
· 송두리째   completely   根こそぎ
· 기지개   stretching one's back   伸び
· 인식   detecting   認識
· 일정   schedule   日程
· 탈바꿈하다   totally transformation   変わる
· 변기   toilet bowl, stool   便器
· 지정 병원   designated hospital   指定病院

· 추천 식단   recommended menu
        おすすめメニュー
· 조리법   recipe   調理法
· 재고 관리   inventory management(control)
        在庫管理
· 화상 회의   screen-meeting through on-line
        画像会議
· 음성 통역 기술   voice-translation technique
        音声通訳技術
· 핵심   core   核心
· 고립화   isolation   孤立化
· 탄생   birth, nativity   誕生

문학, 그리고 남북 분단의 현실

Literature and North-South Problems

1 메밀꽃 필 무렵
Season of Buckwheat Flowers

이효석

조선달 편을 바라는 보았으나 물론 미안해서가 아니라 달빛에 감동하여서였다. 이지러는 졌으나 보름을 갓 지난 달은 부드러운 빛을 흐뭇이 흘리고 있다. 대화까지는 80리의 밤길, 고개를 둘이나 넘고 개울을 하나 건너고 벌판과 산길을 걸어야 된다. 길은 지금 긴 산허리에 걸려 있다. 밤중을 지난 무렵인지 죽은 듯이 고요한 속에서 짐승 같은 달의 숨소리가 손에 잡힐 듯이 들리며, 콩포기와 옥수수 잎새가 한층 달에 푸르게 젖었다. 산허리는 온통 메밀밭이어서 피기 시작한 꽃이 소금을 뿌린 듯이 흐뭇한 달빛에 숨이 막힐 지경이다. 붉은 대궁이 향기같이 애잔하고 나귀들의 걸음도 시원하다. 길이 좁은 까닭에 세 사람은 나귀를 타고 외줄로 늘어섰다. 방울 소리가 시원스럽게 딸랑딸랑 메밀밭께로 흘러간다. 앞장선 허생원의 이야깃소리는 꽁무니에 선 동이에게는 확적히는 안 들렸으나, 그는 그대로 개운한 제멋에 적적하지는 않았다.

「장선 꼭 이런 날 밤이었네. 객주집 토방이란 무더워서 잠이 들어야지. 밤중은 돼서 혼자 일어나 개울가에 목욕하러 나갔지. 봉평은 지금이나 그제나 마찬가지나 보이는 곳마다 메밀밭이어서 개울가가 어디 없이 하얀 꽃이야. 돌밭에 벗어도 좋을 것을 달이 너무도 밝은 까닭에 옷을 벗으러 물방앗간으로 들어가지 않았나. 이상한 일도 많지. 거기서 난데없는 성서방네 처녀와 마주쳤단 말이네. 봉평서야 제일 가는 일색이었지. 팔자에 있었나부지.」[1]

---

[1] 작가 이효석의 메밀꽃 필 무렵에서 일부를 따옴

1. 위의 글은 한국 현대 소설 「메밀꽃 필 무렵」입니다. 그러면 이 글의 작가는 누구입니까?

2. '보름'은 몇 일을 말합니까?

3. 위의 글 중에는 '산허리는 온통 메밀밭이어서 피기 시작한 꽃이 소금을 뿌린 듯이'라는 표현이 있습니다. 여기서 '소금을 뿌린 듯이'는 메밀밭의 어떠한 모습을 표현하고 있습니까? 자신의 생각을 말해 봅시다.

4. '딸랑딸랑'은 방울 소리를 나타내는 표현입니다. 이렇게 한국어에는 사물의 소리를 나타내는 표현이 많습니다. 사물의 소리를 나타내는 '의성어'를 세 가지만 써 보시오.

5. 위의 글은 어느 계절을 배경으로 하고 있습니까?

▶ 단어 정리

- 선달 a person who passed government exam but who hasn't yet started government service 科挙の文·武科に及第してまだ官職につかない人
- 이지러지다 to wane 片方が満ちていない, 欠ける
- 갓 just 昔, 馬のたてがみや尾で作り 大人がかぶった帽子
- 개울 water stream 小川
- 걸리다 to take (time) かかる
- 포기 a bunch 束
- 메밀 buckwheat そば
- 지경 be in an embarrassing situation 立場, 境遇
- 애잔하다 to be frail 非常に弱い 弱弱しい
- 생원 a person who passed a minor examination 小科の終の日の試験に合格した人

- 꽁무니 the rear end おしり
- 개운한 to be feel well すきっとした
- 적적하다 to be lonely さびしい
- 장 market 市場
- 객주집 peddler's inn 商人や旅行者が通りがけに立ちよる 食堂兼宿屋
- 토방 an earth floored room 土間
- 방앗간 flouring mill 精米所
- 난데없다 to be unexpected まったく思いがけない
- 일색 distinguished beauty 抜群の美人
- 팔자 one's destiny 一生の運

2 심청전
Story of Simcheong

심청이가 그 같은 효성이라, 어찌 거짓말로 부친을 속일까마는 부득이한지라 잠시 말을 꾸며 부친께 여쭙는다.

"일전에 만나 뵈온 무릉촌 장승상댁 부인께서 소녀보고 하시는 말씀이 '수양딸 노릇을 하라' 하시나, 아버님이 홀몸으로 계시기로 승낙지 아니하고 몽운사에 발원한 일을 사뢰었더니, 부인께서 반겨 들으시고 쌀 삼백 석을 내어 주시기로, 몽운사로 보내 놓고 수양딸로 팔렸나이다."

심봉사는 그 사이의 경위도 모르고 소리내어 웃으며 즐겨하기를,

"어허 그 일 잘 되었다! 언제 너를 데려간다 하더냐?"

"내달 보름날에 데려간다 하옵니다."

"너 거기 가서 살더라도 나 살기는 무관하다. 어 그 일 참으로 잘 되었다!"

부녀간에 이같이 말을 주고받아 부친을 위로한 후 심청이는 그 날부터 뱃사람을 따라갈 것을 곰곰이 생각하니 눈물이 앞서더라.

사람이 세상에 태어나서 즐거운 한때를 못 보고 이팔 청춘에 죽어야 할 일과 앞 못 보는 부친을 영영 이별하고 죽을 것을 생각하니, 정신이 아득하여 일에도 뜻이 없어 식음을 전폐하고 시름없이 지내다가도 다시 돌이켜 생각하면 '엉클어진 그물이요, 쏘아 놓은 살'이로다.

"이 몸이 죽고 보면 춘하추동 사시절에 부친 의복을 뉘 있어 거둬줄까? 아직 내가 살아 있는 동안 아버지 사철 입을 의복이나 마지막 내 손으로 지어 놓으리라." 하고는, 봄 가을 의복과 여름 겨울 의복을 꼭꼭 싸서 농에 넣고, 갓 망건도 새로 사서 걸어 두고, 행선날을 기다리더니 드디어 하룻밤이 남았더라.[2]

---

[2] 심청전에서 따옴

1. '말을 꾸미다'의 뜻을 가진 단어를 위 본문에서 찾아 쓰시오.

2. 한국어에는 물건을 세는 단위가 많습니다. 그러면 쌀을 세는 단위에 해당하는 것은 무엇입니까?

3. 위의 글에서 심청이는 아버지를 위로하기 위하여 일부러 거짓말을 하는데, 그렇다면 심청이는 장승상댁 수양딸로 가는 것이 아니라 어디로 가는 것입니까?

4. '엉클어진 그물이요, 쏘아 놓은 살'의 뜻과 같은 뜻을 지닌 한국의 속담을 써 봅시다.

5. 위의 글은 한국의 고전 소설 「심청전」의 일부입니다. 작가는 이 글을 통해 무엇을 이야기하려고 합니까?

▶ 단어 정리

- 부득이 against one's will 仕方なく
- 일전 the other day この前
- 승상 position of high ranking government official 丞相
- 수양딸 step-daughter 養女
- 홀몸 along ひとり身
- 승낙 permission 承諾
- 발원 offer a prayer お願い
- 사뢰다 to inform, to talk 申し上げる
- 경위 details, circumstances 経緯
- 무관 no problem, nothing to care about 問題ない

- 곰곰이 carefully じっくり
- 아득하다 dim, far-off はるかだ
- 식음 meals and drinks 食べ物も飲み物も
- 전폐하다 to stop eating and drinking 喉を通らない
- 시름 worries 心配
- 엉클어지다 to get tangled up からみあう
- 거두다 to take care of 世話をする
- 농 dresser たんす
- 갓 old style Korean hat 昔, 馬のたてがみや尾で作り大人がかぶった帽子
- 행선날 departure day 出発日

3 선덕 여왕과 모란꽃
Queen Seondeok and a Peony Blossom

선덕 여왕은 신라 27대 왕이며 우리 나라 최초의 여왕이다. 이름은 덕만이라 하였고, 그의 아버지는 신라 26대 왕인 진평왕이며 그의 어머니는 김씨 마야 부인이다. 선덕 여왕은 성품이 어질고 총명하였으며 진평왕이 죽은 후 정관 6년에 왕위에 오르게 되었다.

그가 공주로 있을 때 이런 일이 있었다. 한번은 당나라에서 모란꽃 그림과 모란꽃 꽃씨를 보내왔다. 그림에서 보는 모란꽃이 어찌도 아름답던지 진평왕은 그 그림을 자기 딸인 덕만 공주에게 보였다. 그림을 보고 난 덕만 공주는 감탄하지 않고 이렇게 말하였다.

"이 꽃이 비록 곱기는 하지만 반드시 향기가 없을 것입니다."

이 말을 들은 왕은 괴이하게 여겨,

"네가 이 꽃에 향기가 없으리라는 것을 어떻게 아느냐?"

하고 웃으며 물었다. 그러자 공주는 이렇게 대답하였다.

"꽃은 아주 아름다운데 날아드는 나비가 그려져 있지 않는 것으로 알 수 있습니다. 대체로 여자가 미인이면 사내들이 따르는 법이고, 꽃에 향기가 있으면 벌과 나비가 따르는 법입니다. 이 꽃이 무척 곱지만 벌과 나비가 날아들지 않으니 이 꽃은 향기가 없는 꽃이 틀림없습니다."

이 말을 듣고 많은 사람들은 이같이 고운 꽃에 설마 향기가 없겠는가, 하고 공주의 말을 믿지 않았다.

모란꽃 씨를 심은 후 달이 가고 해가 바뀌어 어느덧 삼 년이나 지났다. 모든 꽃들이 만발하고 녹음이 무르익는 초여름 어느 날 모란의 첫꽃이 활짝 피었다. 모란꽃은 실로 꽃 가운데 으뜸이어서 다른 모든 꽃들이 빛을 잃게 하였다. 그러나 덕만 공주가 말한 대로 꽃에는 과연 향기가 없었다. 벌도 모란꽃을 찾아오지 않았고 나비도 모란꽃을 찾아들지 않았다. 여왕은 공주 때부터 이같이 식견이 높았다.[3]

---

[3] 삼국사기 제 5 권에서 따옴

1. 한국 최초의 여왕은 누구입니까?

2. '성품'이란 무엇입니까? 그 뜻을 써 보시오.

3. 덕만 공주는 그림을 보고 모란꽃이 향기가 없을 것이라고 했습니다. 공주는 왜 그 렇게 생각을 했습니까? 그 이유를 말해 봅시다.

4. 모란꽃은 어느 계절에 피는 꽃입니까?

5. '어찌도 ~던지'를 이용하여 문장을 만들어 봅시다.

▶ 단어 정리

- 신라   Silla dynasty   新羅
- 최초   the first   最初
- 성품   one's nature, character   品性
- 어질다   to be kindhearted, humane   善良だ
- 총명   smart   賢い
- 왕위   the throne, the crown   王位
- 공주   admiration exclamation   姬
- 감탄   impressed   感嘆, 感動
- 향기   scent   香り
- 괴이하게   strangely   怪しく

- 여기다   to think, consider   思う
- 대체로   mostly   だいたい
- 틀림없다   to be sure   間違いない
- 설마   (not) possibly   まさか
- 만발   bloom all over   満開
- 녹음   green   青々と
- 무르익다   to ripen, mature   生い茂る
- 실로   truly, indeed   実に
- 으뜸   the best   一番
- 식견   insight   識見

1 변강 마을 희선이네의 동포 사랑
Hui-seon's Family and Their Fraternal Love

지난 5월 8일 밤, 늦은 시간인데도 희선이 엄마는 물건을 챙기기 바빴다. 이날 저녁 어스름을 틈타 두만강을 건너온 17세 된 북한 소년에게 주기 위한 것들이다. 냄새나는 허름한 옷을 입은 이 소년은 폐렴에 걸린 조카를 위해 소염제와 쌀을 구하러 국경을 넘었다고 했다. 희선이 엄마는 소년을 집에 들인 뒤 우선 따뜻한 밥 한 그릇을 먹였다. 그리고 저녁 11시께 돌아가는 소년을 위해 짐을 챙기고 있는 것이었다.

희선이 엄마는 보퉁이에 쌀을 담고, 준비해 둔 밥과 돼지고기, 가지볶음 따위를 가방에 차곡차곡 담았다. 옆에 선 희선이 아빠가 잊지 말라는 듯 술과 담배를 내밀었다. 국경 경비병들에게 줄 뇌물이다. 희선이 엄마는 또 빗방울이 흩뿌리는 밤거리를 나서는 소년에게 술 한 병 찔러 주는 것도 잊지 않았다. 강물을 건넌 뒤 추위를 녹이라는 것이다.

희선이네가 국경을 넘어온 북한 사람들에게 따뜻한 밥 한 끼와 먹을 것을 푸짐히 준다는 사실은 두만강 너머 북한 땅에도 많이 알려진 듯했다. 도강한 북한 사람들이 '용하게 알고' 희선이네를 찾는 것을 보면 그렇다. 그래서 요즘 희선이네는 바쁘다. 희선이 아빠는 낮 동안 온 동네 식당을 돌며 남은 음식을 거둬들이고 마을사람들로부터 헌 옷가지를 모은다. 최근만 해도 하루 1명 이상씩은 북한에서 넘어와 밥과 옷을 얻어가기 때문이다. 희선이네는 이제 변변히 입을 옷가지가 없을 정도로 거덜난 상태다.

하지만 희선이 엄마도 어떤 때는 속이 상한다. 특히 최근 희선이 아빠가 일자리를 잃어 더욱 그렇다.

"요즘은 너무 많이들 와서 미운 생

▲ 북녘땅의 피폐한 모습

각이 들기도 해요. 그래도 막상 들어오면 내쫓을 수 없어요. 우리마저 도와 주지 않으면 그들에겐 굶어죽는 일만 남는 거니까요."

이처럼 국경 마을 사람들은 대개 인심이 좋다. 어느 집에 들어간들 굶주리는 북녘 동포를 타박하여 내쫓지는 않는다. 크게 도와 주지는 않아도 밥 한 끼 정도만은 꼭 먹고 가게 하는 게 국경 마을 사람들의 '동포 사랑'이다.

▶ 질문

1. 희선이네 엄마가 소년을 위해 가방에 준비한 물품을 적어 보시오.
2. '강을 건너다'의 뜻을 지닌 단어는 무엇입니까? 본문에서 찾아 쓰시오.
3. 17세 북한 소년은 왜 국경을 넘었을까요? 그 이유를 써 보시오.
4. 국경을 넘어온 북한 사람들은 왜 희선이네를 찾는 것입니까? 그 이유를 한번 발표해 봅시다.
5. '동포 사랑'의 다른 형태를 생각해 봅시다.

▶ 단어 정리

- 챙기다   to pack, prepare things for a short trip
    準備をする
- 어스름   dusk   おぼろ
- 틈타다   using   機会などを利用する
- 허름한   shabby, ragged   ぼろぼろの
- 폐렴   pneumonia   肺炎
- 소염제   an antiphlogistic   消炎剤
- 보퉁이   small container for carrying food   包み
- 차곡차곡   neatly   きちんと
- 뇌물   bribe   わいろ
- 흩뿌리다   to scatter   ばらまく
- 찔러 주다   put into one's pocket

　　　ポケットの中にいれる
- 푸짐하다   abundant, plentiful   たっぷりだ
- 도강   crossing a river secretly/without permission
　　　渡江
- 용하게   amazingly   うまく
- 거둬들이다   to collect   分けてもらう
- 변변한   fairly good, tolerable   ろくな
- 거덜나다   to become bankrupt, to go broke
　　　なくなる
- 속이 상하다   to be hurt feeling   気を病む
- 막상   in reality   実際に
- 타박하다   to maltreat, or illtreat   責めつける

2 꿈에 그리던 북녘 땅에 차례상을...
Visiting the Land in Dream and Offering to Ancestors

제물을 고르는 손끝이 떨렸다. 매년 준비하는 차례상이지만 이번 설은 다르다. 고향은 가지 못하지만 꿈에 그리던 북녘 땅에서 차릴 차례상에 올릴 제물이다.

함경북도 단천이 고향인 김용원(77.경기도) 할아버지는 13일 동네 시장을 찾아 온갖 정성을 쏟으며 청주며 과일이며 북어포를 샀다. 할아버지는 설을 하루 앞둔 15일 금강산으로 출발하는 봉래호에 오른다. 북한 땅을 떠난 지 49년 만이다.

지난 해 11월 금강산 뱃길이 열렸을 때 장남은 금강산을 찾아볼 것을 권했지만 할아버지는 고개를 가로저었다. 고향 땅 형제들을 볼 수 없는데 금강산이 무슨 뜻이 있겠느냐고 생각했다.

그렇지만 이번에는 아들의 권유를 받아들였다. "설날 차례상을 북한 땅에서 지낼 수 있을 것"이라는 아들의 말이 마음을 움직였다. 이번이 생전에 북한 땅을 밟아볼 마지막 기회가 될지도 모른다는 생각도 들었다.

할아버지는 지난 50년 혈혈단신으로 고향을 떠나 남쪽으로 내려왔다. 할아버지는 "부모님과 2~3달만 헤어지면 다시 만날 것이라고 생각했는데 마지막이 됐다"고 말했다. 그래도 그는 부모님과 형제들을 만날 날을 손꼽아 기다렸다.

하지만 하염없는 기다림이었다. 세월이 흐를수록 그런 염원은 이루어지지 않을 것처럼 보였다. 15년 전부터는 아버지와 어머니의 제사를 모시기 시작했다. 할아버지는 "제삿날도 몰라 설과 한가위 때 차례상으로 제삿상을 대신했다"며 "그때마다 가슴에 찬바람이 들었다"고 말했다.

할아버지는 설날 장전항에 들어간다. 그날 아침 배에서 합동 차례를 지낸다는 설명을 들었다. 하

▲ 구룡폭포

▲ 장전항

지만 할아버지는 금강산 오르는 길에 북한 땅에서 제물을 놓고 할아버지만의 차례를 지낼 작정이다.

"조금이라도 고향 땅 가까운 곳에서 차례상을 올리면 음식 드시러 오는 부모님이 덜 고단하실 것 아닙니까." 할아버지는 눈가가 붉어졌다.

▶ 질문

1. 김용원 할아버지는 북한 땅에 몇 년 만에 가는 것입니까?

2. 할아버지는 왜 청주와 과일, 북어포를 샀습니까? 그 이유를 말해 보시오.

3. 이 글에서 '혼자'의 뜻을 지닌 단어를 찾아 써 보시오.

4. 할아버지는 설날 어디에 도착합니까?

5. 김용원 할아버지처럼 북에 고향이 있어도 고향에 갈 수 없는 사람을 무엇이라고 합니까?

▶ 단어 정리

· 제물   food for family worship service 祭物
· 차례   family worship service   法事
· 정성을 쏟다   to devote oneself   心をつくす
· 청주   special kind of wine used for holiday rituals   清酒
· 뱃길   a (ship's) course   船路
· 권유   suggestion   勧誘
· 가로젓다   to shake one's head to imply 'no'   首を横に振る
· 생전   lifetime   生前
· 혈혈단신   all alone in the world   身寄りのない身

· 손꼽아 기다리다   to look forward to   指折数えて待つ
· 하염없는   ceaselessly   とめどもなく
· 염원   one's desire, wish   念願
· 제사   family worship service   法事, 法要
· 모시다   to take care of   世話をする
· 한가위   lunar Thanksgiving day   お盆
· 대신하다   be substituted for   代わりをする
· 합동   combined, joint   合同
· 고단하다   to be tired   波れる
· 눈가   around the eyes   目尻

3 남북 농구, 평양서 '통일 한마당'

Playing Basketball between the South and the North in Pyeongyang : A Starting Place of Unification

남한과 북한의 스포츠가 8년 만에 다시 하나가 됐다. 남과 북의 남녀 농구 선수들이 28일, 지난 1991년 청소년 축구 단일팀 교환경기 이후 8년 만에 평양에서 다시 만나 통일 농구를 통해 뜨거운 동포애를 다지며 통일을 기원했다.

현대아산과 조선아시아태평양평화위원회 주최로 평양체육관에서 열린 이날 통일 농구 대회는 2만 관중의 열렬한 환영 속에 펼쳐져 승패를 떠나 형제애를 나눴다. 남북의 선수와 코칭스태프가 서로 뒤섞여 펼쳐진 첫날 혼합팀 경기에서는 팀 이름까지 단결과 단합으로 해 진정한 한민족의 화합을 기원했다. 양복과 한복을 곱게 차려입은 관중들은 남북의 선수들이 손을 마주잡고 입장하자 우레와 같은 함성과 박수로 아낌없는 격려를 해 주었다.

▲ 세계 최장신 리명훈 선수(2m 35cm)

먼저 열린 여자부 경기 혼합 경기에서 양팀은 친선 경기답게 앞서거니 뒷서거니 우열을 가리지 못하다가 경기 종료 직전 역전에 성공한 단결이 단합을 133 – 127로 눌렀다. 이 날 경기는 남북한 양팀의 맞대결이 아닌 순수한 친선 경기 성격이 강해 수비보다는 외곽 슛, 시원한 골밑 돌파 등 빠른 공격 중심으로 이루어졌고, 남한 선수들은 공격보다는 방어에 치중했다.

반면 북한의 이명화, 장영순, 계은정(이상 단결), 홍은숙, 장용숙(이상 단합) 등은 깨끗한 슈팅을 선보이며 공격을 주도했다. 올스타전을 방불케 한 이 경기에서 단결은 전반 중반 이후 3점 슛을 난사해 17점차로 역전 당해 전반을 60−69로 뒤졌으나 후반 종료 3분여를 남기고 상대 실책에 편승, 재역전승을 이끌어냈다.

▶ 질문

1. 남한과 북한의 스포츠는 1991년에는 어떤 종목으로 단일팀을 이루었습니까?
2. '이기고 지다'의 뜻을 지닌 단어는 무엇입니까, 본문에서 찾아 쓰시오.
3. '방불케 하다'의 단어를 이용하여 문장을 만들어 보시오.
4. 남한과 북한의 관계에 있어서 농구 등의 스포츠 교류는 왜 중요합니까? 그 이유를 생각해 봅시다.
5. 2000년 남북 정상 회담의 내용을 알아보고, 남북 관계의 발전 방향에 대해 토의해 봅시다.

▶ 단어 정리

- 교환경기 exchange game, match 交換試合
- 다지다 to harden 強くする
- 기원 prayer, wish 祈願
- 주최로 under the sponsorship of 主催で
- 열렬한 enthusiastic 熱烈な
- 승패 victory or defeat 勝敗
- 혼합 mixed, combined 混合
- 단결 cooperation 団結
- 단합 cooperation, unity 団合
- 마주잡다 to hold hands face to face 手を取り合う

- 우레 thunder 雷
- 함성 shouting 歓声
- 격려 encouragement 激励
- 친선 friendship 親善
- 우열을 가리다 to decide which is superior/better 優劣を決める
- 맞대결 fighting only for victory 対決
- 치중하다 to put emphasize on 重点をおく
- 주도하다 to lead 主導する
- 방불케 하다 to remind (one) of 彷彿させる
- 난사하다 to shoot aggressively 連発する

속담

가까운 길 마다하고 먼길로 간다.
편하고 빠른 방법이 있는데도 구태여 어렵고 힘든 방법을 택한다는 뜻.

가는 정이 있어야 오는 정이 있다.
상대방이 잘해 주기를 바란다면 먼저 상대방에게 잘해 주어야 한다는 뜻.

가다 말면 안 가느니만 못하다.
어떤 일을 하다가 도중에 그만 두려면 처음부터 하지 않는 편이 낫다는 뜻.

고래 싸움에 새우 등 터진다.
남의 싸움에 아무 관계없는 사람이 해를 입거나 웃사람들 싸움으로 아랫사람이 해를 입을 때 쓰는 말.

금강산도 식후경이다.
아무리 좋고 즐거운 일이라도 배가 부르고 난 뒤에라야 제대로 느낄 수 있다는 말.

김칫국부터 마신다.
남의 속도 모르고 제 짐작으로 그렇게 될 것으로 믿고 행동한다는 뜻.

누워서 떡 먹기
어떤 일을 하는 데 힘이 전혀 들지 않고 쉽게 할 수 있다는 말.

눈 감으면 코 베어 갈 세상이다.
세상 인심이 험악하고 무서운 것을 이르는 말.

눈에 가시다.
몹시 미워하여 보기 싫은 사람을 이르는 말.

눈에 넣어도 아프지 않다.
눈에 넣어도 아프지 않을 만큼 예쁘고 사랑스럽다는 말.

누울 자릴 보고 발을 뻗는다.
모든 것을 미리 살펴 다가올 결과를 생각해 가면서 일을 시작한다는 말.

눈 밖에 났다.
신임을 잃었다는 말.

눈 가리고 아웅 한다.
결코 넘어가지 않을 얕은 수로 남을 속이려 한다는 말.

달걀로 바위 치기
약한 힘으로 강한 것을 당해 내려는 어리석음을 비웃는 말.

달도 차면 기운다.
행운과 번영이 오랫동안 계속되는 것이 아니라는 뜻.

달밤에 체조한다.
밤에는 체조하는 사람이 없는 것처럼 적당한 시기를 모르고 엉뚱한 때 어떤 일을 한다는 말.

닭 잡아 먹고 오리발 내민다.
자기가 저지른 나쁜 일이 드러나게 되자 서투른 수단으로 남을 속이려 할 때 하는 말.

독 안에 든 쥐
아무리 애를 쓰고 노력하여도 벗어나지 못하고 꼼짝 할 수 없는 처지에 놓여 있다는 말.

돌다리도 두들겨 보고 건너라.
모든 일에 세심한 주의를 기울이라는 말.

되로 주고 말로 받는다.
조금 주고 그 댓가로 몇 갑절이나 더 받는다는 말.

뒤로 자빠져도 코가 깨진다.
운이 나쁜 사람은 전혀 상관없는 일에서도 해를 입는다는 뜻.

등잔 밑이 어둡다.
등잔 밑이 어두운 것처럼 오히려 너무 가까이 있는 일은 잘 알지 못한다는 말.

똥이 무서워서 피하나 더러워 피하지.
악한 사람을 피하는 것은 무서워서가 아니라 자기마저 악하게 될까봐
피한다는 뜻.

뛰어 봐야 벼룩이지.
벼룩이 제아무리 뛰어 봐도 보잘것없는 것같이, 제 딴엔 아무리
훌륭하다고 해도 별 볼일이 없다는 뜻.

막상막하
누가 더 낫고 못함을 가누기가 어려울 정도로 엇비슷함을 나타내는 말.

말 속에 뼈가 있다.
예사롭게 하는 말 속에 깊은 속뜻이 들어 있음을 나타낸다.

목구멍에 풀칠한다.
굶어 죽을 정도는 아니고 겨우 먹고 산다는 말.

미련하기가 곰 같다.
매우 미련한 사람을 이르는 말.

미운 놈 떡 하나 더 준다.
미운 사람일수록 더 친절히 해야 감정도 상하지 않고 후환이 없다는 말.

믿는 도끼에 발등 찍힌다.
아무 염려 없다고 믿고 있었던 일이 실패했을 때 쓰는 말.
누군가에게 배신당했을 때 사용하는 말

밑 빠진 독에 물 붓기
아무리 애써서 일을 해도 끝이 없고 보람도 없을 때 이르는 말.

바늘 도둑이 소도둑 된다.
조그만 것도 자꾸 훔치게 되면 나중에는 큰 것까지 도둑질하게 된다는 뜻.

바늘 방석에 앉은 것 같다.
자리에 있기가 매우 불안할 때 이르는 말.

바람 앞의 등잔불
바람 앞에 등불을 켜 놓으면 금새 꺼지듯이 무척 위험한 상태를
나타내는 말.

발등에 불이 떨어졌다.
갑자기 피하기 어려운 일이 닥쳤다는 말.

백지장도 맞들면 낫다.
아무리 쉬운 일이라도 혼자 하는 것보다 서로 힘을 합쳐서 하면 더
쉽다는 말

벼룩의 간을 내어 먹는다.
극히 적은 이익을 치사한 방법으로 얻는다는 뜻.

배보다 배꼽이 더 크다.
주가 되는 것보다 부수적인 것이 더 크거나 많다는 말.

비 온 뒤에 땅이 굳어진다.
곤란한 일이나 어려운 일을 겪고 나면, 일의 기초가 더욱 튼튼해진다.

뿌리 깊은 나무 가뭄 안 탄다.
뿌리가 땅에 깊이 박힌 나무는 가뭄을 쉽게 타지 않음과 같이 기초가
튼튼하면 오래 견딘다는 말.

속담

사돈 남 말 한다.
제 일은 제쳐 놓고 남의 일에 참견할 때 쓰는 말.

사랑은 내리 사랑
부모가 자식을 사랑하는 마음이, 자식이 부모를 사랑하는 마음보다
크다는 말.

사서 고생한다.
힘든 일을 괜히 자기가 만들어 가지고 고생한다는 말.

사탕발림
얕은 속임수로 겉만 그럴 듯하게 잘 꾸민다는 뜻.

산 입에 거미줄 치랴.
살기가 어렵다고 쉽사리 죽기야 하겠느냐는 말.

서당 개 삼 년이면 풍월을 읊는다.
무식한 사람도 어떤 일이든 오래 보고 듣게 되면 자연히 견문이
생긴다는 말.

새 발의 피
어떤 것이 차지하는 분량이 매우 적음.

세월이 약이다.
크게 마음이 상하여 고통스러운 일도 오랜 세월이 흐르면 저절로
잊혀지게 된다는 말.

쇠뿔도 단김에 빼라.
무슨 일을 하려고 했으면 주저 말고 곧 행동으로 옮기라는 뜻.

산 넘어 산이다.
갈수록 고생이 점점 더 심해진다는 뜻.

실 가는 데 바늘 간다.
둘이서 떨어지지 않고 늘 같이 다닐 정도로 사이가 좋다는 말.

십 년이면 강산도 변한다.
세월이 흐르면 변하지 않는 것이 없다는 말.

아니 땐 굴뚝에 연기 날까.
원인이 없으면 결과가 없다는 뜻.

아닌 밤중에 홍두깨
예상치도 않았는데 갑자기 뭔가가 나타나는 것을 이르는 말.

앓던 이가 빠진 것 같다.
매우 걱정되던 일이 해결돼 속이 시원하다는 뜻.

얌전한 강아지 부뚜막에 먼저 오른다.
겉으로는 얌전한 척하는 사람이 먼저 얌체 같은 짓을 할 때 쓰는 말.

어린아이 보는 데는 물도 못 마신다.
어린아이들은 어른들이 하는 대로 따라 하니까 아이들 앞에서는
행동을 주의하라는 뜻.

열 번 찍어 안 넘어가는 나무 없다.
계속해서 노력하면 뜻을 이룬다는 말.

엿 장수 마음대로
엿 장수가 엿을 크게 떼기도 하고 작게 떼기도 하듯 어떤 일에
결정권을 가진 사람이 그 일을 결정하게 된다는 말.

옥에도 티가 있다.
아무리 훌륭한 사람이나 물건이라도 따지고 보면 약간의 결점은
있다는 말.

우물에 가 숭늉 찾는다.
성미가 몹시 급하여 터무니없이 재촉하거나 서두를 때 쓰는 말.

원수는 외나무 다리에서 만난다.
원수를 만들면 피할 수 없는 곳에서 마주치게 된다는 뜻.

원숭이도 나무에서 떨어진다.
아무리 숙달된 사람일지라도 실수할 때가 있다는 말.

자다가 남의 다리 긁는다.
다른 데 정신 팔고 있다가 엉뚱한 행동이나 말을 할 때 쓰는 말.

자라 보고 놀란 가슴, 솥뚜껑 보고도 놀란다.
어떤 것에 한번 몹시 놀란 사람은 비슷한 것만 봐도 겁을 낸다는 뜻.

자식도 품 안에 들 때 내 자식이지.
자식이 어릴 때는 부모 말을 잘 듣지만, 크면 자기 맘대로 하고 말을 안 듣는다는 뜻.

작은 고추가 맵다.
몸집이 작은 사람이 큰 사람보다 오히려 재주가 뛰어날 때 쓰는 말.

잘 자랄 나무는 떡잎부터 알아본다.
잘 될 사람은 어려서부터 남달리 장래성이 있어 보인다는 말.

젊어서 고생은 사서도 한다.
젊을 때 고생이 좀 되더라도 부지런히 노력하면 뒷날 큰 보람을 얻을 수 있다는 말.

쥐구멍에도 볕 들 날이 있다.
캄캄한 쥐구멍도 언젠가는 햇빛이 든다는 말로, 고생을 심하게 해도 언젠가는 좋은 때가 온다는 말.

쥐도 새도 모른다.

아무도 모르게 감쪽같이 어떤 일을 할 때 쓰는 말.

지렁이도 밟으면 꿈틀거린다.

아무리 미천하거나 약한 사람일지라도 지나치게 업신여기면 성을
낸다는 뜻.

제 코가 석 자나 빠졌다.

남을 도와 주기는커녕 자기도 몹시 어려운 처지에 놓여 있다는 뜻.

찬물도 위아래가 있다.

모든 일에는 순서가 있으니 그 순서를 따라 해야 한다는 말.

천냥 빚도 말로 갚는다.

말재주가 좋으면 큰 빚도 면제받을 수 있다는 말.

천리 길도 한 걸음부터

아무리 큰일일지라도 작은 것에서부터 시작해야 한다는 뜻.

참새가 방앗간을 그대로 지나랴.

자기가 좋아하는 곳을 그대로 지나치지 못한다는 뜻.

첫술에 배부르랴.

처음 떠먹는 한 숟가락의 밥에 배가 부르겠느냐는 말처럼, 무슨 일이든
단번에 만족할 수 없다는 말.

콧방귀만 뀐다.

남의 말은 들은 체 만 체 아무 대꾸도 아니하는 것을 이르는 말.

콩 심어라, 팥 심어라 한다.

작은 일을 가지고 일일이 지나친 간섭을 한다는 뜻.

콩 심는 데 콩 나고 팥 심는 데 팥 난다.
모든 일은 원인에 따라 결과가 생긴다는 말.

콩으로 메주를 쑨다 해도 곧이 안 듣는다.
거짓말을 잘하면, 참말을 해도 사람들이 믿지 않는다는 뜻.

콩을 팥이라 해도 곧이듣는다.
평소에 신용이 있는 사람의 말은 무슨 말이라도 믿는다는 뜻.

털어서 먼지 안 나는 사람 없다.
누구나 결점을 찾아보면 허물이 하나도 없는 사람이 없다는 뜻.

티끌 모아 태산
작은 것이라도 많이 모이면 큰 것을 이룬다는 뜻.

팔은 안으로 굽는다.
팔이 자기 쪽으로 굽듯이 누구나 가까운 사람에게 정이 더 간다는 말.

핑계 없는 무덤 없다.
무슨 일이라도 반드시 핑계거리는 있다는 뜻.

하나를 보면 열을 안다.
일부를 보고 미루어 전체를 알 수 있다는 말.

하룻강아지 범 무서운 줄 모른다.
경험이나 경륜이 적은 사람이 철없이 아무한테나 함부로 덤빌 때 쓰는 말.

한 귀로 듣고 한 귀로 흘린다.
남의 말을 주의해서 듣지 않아, 안 들은 것과 같다는 말

한번 엎지른 물은 다시 주워 담지 못한다.
한번 해버린 일은 전과 같이 하려고 해도 다시 돌이켜 회복할 수 없다.

호랑이 굴에 들어가도 정신만 차리면 된다.

아무리 힘들고 무서운 상황일지라도 침착하기만 하면 빠져 나올 수 있다는 말.

호랑이도 제 말 하면 온다.

제삼자에 관한 이야기를 할 때 공교롭게 그 사람이 온다는 말.

혼자서 북 치고 장구 친다.

혼자서 모든 일을 다한다는 뜻.

황소 뒷걸음질하다 쥐 잡는다.

미련하고 느린 사람도 어쩌다 한몫 할 때가 있다는 말.

故事成語

甘言利說 (감언이설) 남의 비유에 맞도록 꾸민 달콤한 말과 이로운 조건을 붙여 꾀는 말.

見物生心 (견물생심) 물건을 보고 욕심이 생김.

結草報恩 (결초보은) 죽어서도 잊지 않고 은혜를 갚는다는 말.

管鮑之交 (관포지교) 옛날 중국의 관중(管仲)과 포숙(鮑叔)처럼 친구 사이의 우정이 깊음을 이르는 말.

九死一生 (구사일생) 꼭 죽을 고비에서 살아남.

群鷄一鶴 (군계일학) 닭 무리 속에 끼어 있는 한 마리의 학이라는 뜻으로, 평범한 사람 가운데서 뛰어난 사람.

權謀術數 (권모술수) 목적 달성을 위해서는 인정이나 도덕을 가리지 않고 권세와 중상 모략 등 갖은 방법과 수단을 쓰는 술책.

勸善懲惡 (권선징악) 착한 행실을 권장하고 악한 행실을 징계함.

錦上添花 (금상첨화) 좋고 아름다운 것 위에 더 좋은 것을 더함.

錦衣還鄉 (금의환향) 비단 옷을 입고 고향으로 돌아옴. 즉 타향에서 크게 성공하여 자기 집으로 돌아감.

內憂外患 (내우외환) 나라 안팎의 근심 걱정.

內柔外剛 (내유외강) 사실은 마음이 약한데도 외부에는 강하게 나타남.

勞心焦思 (노심초사) 몹시 마음을 졸이는 것.

多多益善 (다다익선) 많으면 많을수록 좋음.

單刀直入 (단도직입) ① 홀몸으로 칼을 휘두르며 적진으로 쳐들어감.
② 요점을 바로 풀이하여 들어감.

大器晩成 (대기만성) 큰 그릇은 이루어짐이 더디다. 즉 크게 될 사람은 성공이 늦다는 말.

大義名分 (대의명분) 인류의 큰 의를 밝히고 분수를 지켜 정도에 어긋나지 않도록 하는 것.

同苦同樂 (동고동락) 괴로움과 즐거움을 함께 함.

東問西答 (동문서답) 묻는 말에 대하여 전혀 엉뚱한 대답을 하는 것.

同病相憐 (동병상련) 처지가 서로 비슷한 사람끼리 서로 동정하고 도움

東奔西走 (동분서주) 사방으로 이리저리 부산하게 돌아다님.

同床異夢 (동상이몽) 겉으로는 같이 행동하면서 속으로는 딴 생각을 가짐.

杜門不出 (두문불출) 세상과 인연을 끊고 출입을 하지 않음.

馬耳東風 (마이동풍) 소귀에 마파람. 남의 말을 귀담아 듣지 아니하고 지나쳐
            흘려 버림. → 牛耳誦經(우이송경), 牛耳讀經(우이독경)

莫上莫下 (막상막하) 실력에 있어 낮고 못함이 없이 비슷함.

莫逆之友 (막역지우) 참된 마음으로 서로 거역할 수 없이 매우 친한 벗을 말함.

明若觀火 (명약관화) 불을 보는 듯이 환하게 분명히 알 수 있음.

武陵桃源 (무릉도원) 신선이 살았다는 전설적인 중국의 명승지를 일컫는 말로
            곧 속세를 떠난 별천지.

門前成市 (문전성시) 권세가 크거나 부자가 되어 집 문앞이 찾아오는 손님들
            로 마치 시장을 이룬 것 같음.

門前沃畓 (문전옥답) 집 앞 가까이에 있는 좋은 논, 곧 많은 재산을 일컫는 말.

美人薄命 (미인박명) 미인은 흔히 불행하거나 병약하여 요절하는 일이 많다는 말.

美風良俗 (미풍양속) 아름답고 좋은 풍속.

拍掌大笑 (박장대소) 손바닥을 치면서 크게 웃음.

百年大計 (백년대계) 먼 뒷날까지 걸친 큰 계획.

百年偕老 (백년해로) 부부가 화합하여 함께 늙도록 살아감.

附和雷同 (부화뇌동) 제 주견이 없이 남이 하는 대로 그저 무턱대고 따라 함.

粉骨碎身 (분골쇄신) 목숨을 걸고 최선을 다함.

非夢似夢間 (비몽사몽간) 꿈인지 생시인지 알 수 없는 어렴풋함.

非一非再 (비일비재) 한두 번이 아님.

四面楚歌 (사면초가) 한 사람도 도우려는 자가 없이 고립되어 곤경에 처해 있음.

砂上樓閣 (사상누각) 모래 위에 지은 집. 곧 헛된 것을 비유하는 말.

事必歸正 (사필귀정) 무슨 일이든지 결국은 올바른 곳으로 돌아간다는 뜻.

山戰水戰 (산전수전)	세상일에 경험이 많음.
山海珍味 (산해진미)	산과 바다의 산물(産物)을 다 갖추어 썩 잘 차린 귀한 음식.
殺身成人 (살신성인)	절개를 지켜 목숨을 버림.
三顧草廬 (삼고초려)	유비가 제갈 공명을 세 번이나 찾아가 군사로 초빙한 데서 유래한 말로 임금의 두터운 사랑을 입다라는 뜻.
三遷之敎 (삼천지교)	맹자의 어머니가 아들의 교육을 위하여 세 번 이사를 했다는 말로, 생활 환경이 교육에 있어 큰 구실을 함을 말함.
塞翁之馬 (새옹지마)	세상일은 복이 될지 화가 될지 예측할 수 없다는 비유.
先見之明 (선견지명)	앞일을 미리 보아서 판단함.
雪上加霜 (설상가상)	불행이 엎친 데 덮친 격으로 거듭 생김.
送舊迎新 (송구영신)	묵은 해를 보내고 새해를 맞음.
始終一貫 (시종일관)	처음과 끝이 같음. → 始終如一 (시종여일)
深思熟考 (심사숙고)	깊이 생각하고 신중을 기하여 곰곰이 생각함.
十匙一飯 (십시일반)	열 사람이 한 술씩 보태면 한 사람 먹을 분량이 된다. 여러 사람이 힘을 합하면 한 사람을 돕기는 쉽다는 말.
我田引水 (아전인수)	제 논에 물대기. 자기에게 유리하도록 행동하는 것.
眼下無人 (안하무인)	눈 아래 사람이 없음. 곧 교만하여 사람을 업신여김.
漁父之利 (어부지리)	도요새가 조개를 쪼아 먹으려다가 둘 다 물리어 서로 다투고 있을 때 어부가 와서 둘을 잡아갔다는 고사에서 나온 말. 둘이 다투는 사이에 제삼자가 이득을 보는 것. → 犬兔之爭 (견토지쟁)
語不成說 (어불성설)	말이 이치에 맞지 않음.
言中有骨 (언중유골)	예사로운 말 속에 깊은 뜻이 있는 것을 말함.
緣木求魚 (연목구어)	나무에 올라가 고기를 구함. 불가능한 일을 하고자 할 때를 비유.
五里霧中 (오리무중)	멀리까지 안개가 짙게 낀 상태에서는 일의 갈피를 잡기 어려움.

烏飛梨落 (오비이락) 우연의 일치로 남의 의심을 받는 것.

外柔內剛 (외유내강) 겉으로 보기에는 부드러우나 속은 꿋꿋하고 강함.

龍頭蛇尾 (용두사미) 처음엔 그럴 듯하다가 끝이 흐지부지되는 것.

優柔不斷 (우유부단) 어물어물하기만 하고 딱 잘라 결단을 하지 못함.

牛耳讀經 (우이독경) 소 귀에 경 읽기 → 牛耳誦經(우이송경), 馬耳東風(마이동풍).

有備無患 (유비무환) 미리 준비가 있으면 뒷 걱정이 없다는 뜻.

流言蜚語 (유언비어) 근거 없는 좋지 못한 말.

耳懸令鼻懸令
(이현령비현령)
귀에 걸면 귀걸이, 코에 걸면 코걸이. 즉 이렇게도 저렇게도 될 수 있음.

一擧兩得 (일거양득) 한 가지 일을 하여 두 가지의 이득을 봄. → 一石二鳥 (일석이조)

一場春夢 (일장춘몽) 인생의 영화(榮華)는 한바탕의 봄꿈과 같이 헛됨.

一觸卽發 (일촉즉발) 조금만 닿아도 곧 폭발할 것 같은 모양. 막 일이 일어날 듯한 위험한 지경.

一片丹心 (일편단심) 오로지 한 곳으로 향한, 한 조각의 붉은 마음.

一攫千金 (일확천금) 힘 안들이고 한꺼번에 많은 재물을 얻음.

臨機應變 (임기응변) 그때 그때의 일의 형편에 따라서 변통성 있게 처리함.

臨時方便 (임시방편) 필요에 따라 그때 그때 정해 일을 쉽고 편리하게 치를 수 있는 수단.

臨戰無退 (임전무퇴) 싸움에 임하여 물러섬이 없음.

自家撞着 (자가당착) 자기의 언행이 전후 모순되어 들어맞지 않음.

自畵自讚 (자화자찬) 자기의 행위를 스스로 칭찬함.

作心三日 (작심삼일) 한번 결심한 것이 사흘을 가지 않음. 곧 결심이 굳지 못함.

轉禍爲福 (전화위복) 화를 바꾸어 복으로 한다. 궂은 일을 당하였을 때 그것을 잘 처리하여 좋은 일이 되게 하는 것.

糟糠之妻 (조강지처) 가난을 참고 고생을 같이하며 남편을 섬긴 아내.

朝令暮改 (조령모개) 법령을 자꾸 바꿔서 종잡을 수 없음을 비유하는 말.

晝耕夜讀 (주경야독)　낮에는 일하고 밤에는 공부함.

竹馬故友 (죽마고우)　죽마를 타고 놀던 벗, 곧 어릴 때 같이 놀던 친한 친구.

至誠感天 (지성감천)　지극한 정성에 하늘이 감동함.

知彼知己 (지피지기)　상대를 알고 나를 앎.

珍羞盛饌 (진수성찬)　맛이 좋은 음식으로 많이 잘 차린 것을 뜻함.

進退兩難 (진퇴양난)　나아갈 수도 물러설 수도 없는 궁지에 빠짐.

天高馬肥 (천고마비)　하늘이 높고 말이 살찐다는 뜻으로 가을철을 일컫는 말.

七顚八起 (칠전팔기)　여러 번 실패해도 굽히지 않고 분투함을 일컫는 말.

卓上空論 (탁상공론)　실현성이 없는 허황된 이론.

貪官汚吏 (탐관오리)　탐욕이 많고 마음이 깨끗하지 못한 관리.

八方美人 (팔방미인)　여러 방면의 일에 능통한 사람을 가리킴.

鶴首苦待 (학수고대)　학의 목처럼 목을 길게 늘여 몹시 기다린다는 뜻.

咸興差使 (함흥차사)　아무 소식이 없거나 회답이 늦을 때 쓰는 말.

虛禮虛飾 (허례허식)　예절, 법식 등을 겉으로만 꾸며 번드레하게 하는 일.

賢母良妻 (현모양처)　어진 어머니이면서 또한 착한 아내.

螢雪之功 (형설지공)　중국 진나라의 차윤(車胤)이 반딧불로 글을 읽고 손강 (孫康)은 눈(雪)의 빛으로 글을 읽었다는 고사에서 온 말로 고생해서 공부한 공이 드러남을 비유.

狐假虎威 (호가호위)　남의 세력을 빌어 위세를 부림.

浩然之氣 (호연지기)　① 사물에서 해방된 자유로운 마음 ② 하늘과 땅 사이에 가득찬 넓고도 큰 원기.

會者定離 (회자정리)　만나면 반드시 헤어지게 마련임.

橫說竪說 (횡설수설)　조리가 없는 말을 함부로 지껄임.

[편저자 약력]

이 숙 자 일본 청산학원대학 문학부 졸업
일본 청산학원대학 대학원 문학 연구과 졸업(문학박사)
경희대학교 외국어대학 학장 역임
경희대학교 평생교육원장 역임
현 경희대학교 외국어대학 교수

이 혜 란 플로리다 주립대학 언어학 박사
현 경희대학교 평생교육원 국제교육부 주임교수

설 경 아 미국 롱아일랜드 대학 교육학 석사
미국 캘리포니아 국방 외국어대학교 한국어과 조교수
미국 캘리포니아 주 4개 대학 연합 한국어강좌 교환교수
매릴랜드 대학교 한국어 강사
경희대학교 한국어과정 주임교수 역임

박 미 선 경희대학교 국문학박사과정 수료
경희대학교 한국어과정 강사 역임

이 대 성 노스캐롤라이나 대학 교육학 석사
경희대학교 한국어과정 강사 역임

김 활 란 경희대학교 일어일문학과 석사
서울대학교 한국어강사 양성과정 수료
경희대학교 한국어과정 강사 역임

김 은 영 경희대학교 교육대학원 석사
이화여대 한국어강사 양성과정 수료
경희대학교 한국어과정 강사 역임

판 권
저자와의 협
의 하에 인
지를 생략함

외국인을 위한

한국어 읽기(중급-중고급)

2000년 9월 5일 초 판 발행
2008년 2월 10일 초 판 제3쇄 발행

편저자 경희대학교 평생교육원
발행자 김 철 환

발행처 사서전문 民衆書林

413-756 경기도 파주시 교하읍 문발리 526-3
(파주출판문화정보산업단지)
전화 (영업) 031) 955-6500~6 (편집) 02) 718-6323
Fax (영업) 031) 955-6525 (편집) 02) 718-6325
홈페이지 http:// www.minjungdic.co.kr
등록 1979. 7. 23. 제2-61호

정가 13,000원   ISBN 978-89-387-0004-9 13710